Gulliver

Collection dirigée par
Stéphanie Durand

De la même auteure

Seule contre moi, Éditions Québec Amérique, 2014.
• Finaliste Prix jeunesse des libraires 2014, catégorie Québec, volet 12-17 ans

Ça va être ta fête!, Éditions Pierre-Tisseyre, 2007.

Arrête deux minutes!, Éditions Pierre-Tisseyre, 2003.
• Finaliste au Prix Cécile-Gagnon 2004

Collectif

« Anicette » dans *Un animal? Génial!*, nouvelles, AEQJ, 2011.

VINGT-CINQ MOINS UN

Projet dirigé par Stéphanie Durand, éditrice

Conception graphique : Claudia Mc Arthur
Mise en pages : Andréa Joseph (pagexpress@videotron.ca)
Révision linguistique : Line Nadeau et Chantale Landry
En couverture : Montage réalisé à partir de l'œuvre de :
© Topform (shutterstock.com)

Québec Amérique
7240, rue Saint-Hubert
Montréal (Québec) Canada H2R 2N1
Téléphone : 514 499-3000, télécopieur : 514 499-3010

Nous reconnaissons l'aide financière du gouvernement du Canada.

Nous remercions le Conseil des arts du Canada de son soutien.
We acknowledge the support of the Canada Council for the Arts.

Nous tenons également à remercier la SODEC pour son appui
financier. Gouvernement du Québec – Programme de crédit
d'impôt pour l'édition de livres – Gestion SODEC.

**Catalogage avant publication de Bibliothèque et Archives
nationales du Québec et Bibliothèque et Archives Canada**

Piché, Geneviève, auteur
Vingt-cinq moins un / Geneviève Piché.
(Gulliver)
Public cible : Pour les jeunes.
ISBN 978-2-7644-3681-3 (Version imprimée)
ISBN 978-2-7644-3682-0 (PDF)
ISBN 978-2-7644-3683-7 (ePub)
I. Titre. II. Collection : Gulliver jeunesse.
PS8581.I243V56 2018   jC843'.6   C2018-942192-4
PS9581.I243V56 2018

Dépôt légal, Bibliothèque et Archives nationales du Québec, 2018
Dépôt légal, Bibliothèque et Archives du Canada, 2018

© Éditions Québec Amérique inc., 2018.
quebec-amerique.com

Réimpression : septembre 2019

Imprimé au Canada

GENEVIÈVE PICHÉ

VINGT-CINQ MOINS UN

Québec Amérique

En mémoire de Mély-Ann.
Pour Thomas.

CHAPITRE UN

– Absence inquiétante –

Ma mère a décrété que marcher nous ferait du bien. On voit que ce n'est pas elle qui transporte un sac plein à craquer. Cahiers neufs, cartables, feuilles protectrices, crayons marqués à mon nom, tout y est. J'avance en courbant le dos. Ma mère et Jacob, mon petit frère, suivent quelques pas derrière moi. Le vent soulève un pan de ma robe. Je le rabats sur mes cuisses en frissonnant.

— Je t'avais dit, Ève, de t'habiller plus chaudement.

Sans me retourner, je réponds :

— J'ai pas froid, maman.

Ma mère m'énerve ! Pas question de lui donner raison, après tout ce que j'ai affirmé pour réussir à garder ma robe jaune. C'est la première journée d'école. Je veux que Thomas me trouve belle. Je tire sur les courroies de mon sac pour le remonter. Continue ma route, tête baissée.

Après trois coins de rue, ma colère est toute ratatinée. Je grimpe sur la chaîne de trottoir. Tangue vers l'arrière sous le poids de mon sac. Pose un pied devant, les bras tendus de chaque côté du corps pour garder l'équilibre. Je songe à mon ruisseau, seul dans la forêt. Je m'ennuie déjà.

Quand je l'ai trouvé, au début des vacances, le ruisseau avait presque entièrement disparu. Je jouais à la cachette avec Chloé. En voulant traverser un fossé, je m'étais enfoncée dans la boue. J'avais senti une fraîcheur entre les orteils.

— Chloé ! Viens voir !

Elle était sortie de derrière une grosse roche.

— Mais qu'est-ce que tu fais ?

Les mains plongées dans la boue, j'enlevais des feuilles mortes, de la mousse, des branches cassées.

— Il y a un ruisseau ! Regarde, le terrain est en pente. Si on dégage un chemin, l'eau va pouvoir couler. Ça va être tellement beau ! Viens m'aider !

On avait utilisé des branches solides en guise de levier pour déplacer les roches les plus lourdes. Section par section, on avait libéré l'eau du ruisseau. Mais après des dizaines de chaudières de boue, de feuilles mortes et de cailloux, mon amie en avait eu assez. Et mon projet avait bien failli virer à la catastrophe quand mon père avait voulu utiliser sa bêche et sa grosse pelle.

— Tu laisses mes outils là-bas, sans surveillance ?

Pour acheter la paix, j'avais promis de peindre la galerie en fer forgé et les marches du balcon. Et j'ai pu continuer d'aménager mon ruisseau. J'y ai passé tout l'été. En rêvant près de lui. En m'inventant des histoires.

Ma préférée :

Je découvre une cabane abandonnée dans un arbre. Thomas vient parfois y jouer avec ses amis. Un jour, je tombe et ma tête heurte une roche. C'est lui qui me trouve. Je suis à moitié évanouie. Son cœur s'affole. Il me soulève dans ses bras et me porte à travers la forêt. Ma tête est nichée dans le creux de son cou. Il s'arrête de temps en temps pour vérifier que je respire toujours. Chaque fois, il resserre son étreinte autour de mon corps. La forêt est très profonde. Il a le temps de tomber amoureux.

Je descends de la chaîne de trottoir pour emprunter l'avenue des Érables. Les branches des grands arbres se penchent au-dessus de ma tête. On dirait qu'elles captent la rumeur de la foule dans la cour d'école et me la chuchotent à l'oreille. J'accélère le pas. Des voitures sont stationnées des deux côtés de la rue. Je compte celles qui sont rouges. La couleur préférée de Thomas. Si j'obtiens un nombre pair, il sera dans ma classe. Je passe le parc, longe le stationnement de l'école. Onze, douze, treize… Non, douze ! Les camions, ça ne compte pas.

Dans la cour, il y a vraiment beaucoup de monde. De la musique. Des ballons flottent au-dessus des estrades et des différentes entrées. Je salue ma mère et mon frère. Puis, je me faufile entre les sacs à dos, les papas à casquette et les mamans qui attendent d'être libérés de leur marmaille pour aller travailler. Je cherche Thomas des yeux. Pas pour lui parler. Bien trop gênant. De toute façon, qu'est-ce que je lui dirais ? Que j'aime son sourire qui creuse deux fossettes dans ses joues ? Que j'ai pensé à lui tout l'été ? Que je le trouve intelligent et si beau avec sa peau brune ? Jamais de la vie ! Je n'en ai même pas parlé à Chloé. Soudain, deux mains se plaquent sur mes yeux.

— Devine c'est qui !

Je reconnais la voix d'Émeline. J'écarte ses bras et j'essaie de ne pas paraître trop contrariée. Émeline n'est pas méchante. C'est juste qu'elle veut trop être mon amie.

— Tu sais où je suis allée en voyage ?

Son visage est à trois centimètres du mien. Je recule d'un pas. Elle se rapproche.

— Non…

— En République dominicaine ! J'ai nagé avec des dauphins, il y avait une super grande piscine avec…

Je l'écoute d'une oreille distraite en regardant à gauche et à droite pour repérer Thomas.

— … des petits lézards, un perroquet…

Elle se déplace pour rester dans mon champ de vision. Heureusement, Chloé surgit près de moi, à bout de souffle.

— Ève ! Enfin, je t'ai trouvée ! Dépêche-toi, les profs viennent de sortir.

Elle m'attrape par la main. Je la suis, trop contente d'échapper à Émeline.

Mme Brochette, déjà, commence à hurler les noms sur sa liste. Je serre les doigts de Chloé plus fort. Son vrai nom, c'est Brochu, mais tout le monde l'appelle « Brochette » parce qu'elle est beaucoup trop sévère. Il paraît qu'elle oblige ses élèves, à tour de rôle, à lui enlever ses bottes et à les lui remettre le soir. Quand elle range sa liste sans nous avoir nommés, ni moi ni Chloé (ni Thomas), on se met à sauter sur place.

— On est dans la classe d'Audrey !

Mon cœur va exploser ! Thomas est avec nous ! Je vais pouvoir passer mon temps à le regarder, rêver qu'il me prend la main pour me reconduire chez moi, rire de ses blagues. Je suis tellement contente !

En avant de la classe, Audrey enlève son tablier à carreaux. Elle nous a servi la collation de la rentrée. Des pots remplis de grignotines avec des étiquettes farfelues : « graines de persévérance », « pépites de curiosité », « efforts grillés », « croustilles à saveur d'entraide ». Je mange les Smarties que j'ai gardés pour la fin.

C'est là qu'Anne-Sophie, qui se prend déjà pour la chef du groupe, pose la question qui me brûle la langue depuis qu'on est entrés dans la classe :

— Pourquoi Thomas est pas là ?

Aussitôt, tout le monde se met à parler en même temps.

— Je l'ai vu, cet été, au parc. Il était avec Raph…

— Ma mère a rencontré sa mère…

— Il est sûrement en voyage.

— Ou malade…

Audrey ne fait rien pour arrêter la vague de rumeurs qui déferle sur la classe. Elle se contente de nous regarder en chiffonnant son tablier. Autour, le vacarme monte encore d'un cran.

— C'est assez ! Vous voyez pas qu'elle attend qu'on se taise !

Momo a presque crié. L'effet est instantané. Il faut dire que Momo, Maurice de son vrai nom, est assez imposant. L'an dernier, quand il est arrivé à l'école, on a tous cru qu'il avait redoublé son année deux fois. Il dépassait d'une tête les plus grands élèves de sixième année. Ça devient soudain très calme autour de lui.

D'une voix douce, Audrey murmure :

— Je vais vous dire ce que je sais…

Je devine déjà que c'est grave. Dans la classe, tous les pupitres sont occupés. Il n'y en a aucun pour Thomas.

CHAPITRE DEUX

– Le cahier mauve –

Dimanche matin, je me décide. Je veux voir Thomas. Il ne peut pas être si malade que ça. Un pi-né-alo-blas-tome de grade quatre, ça ressemble à un nom de Pokémon. En ce moment, tiens, il est peut-être en train de jouer avec ses amis au parc des Érables. Il saute en bas du module de jeu. Il profite de ses vacances forcées et il rigole.

J'attache mon casque sous le menton et j'en-fourche mon vélo. Je pédale, le dos courbé pour grimper la côte au bout de ma rue. En haut, je reprends mon souffle. D'ici, les toits des maisons ont tous l'air de se toucher. Je ferme les yeux et lâche mes guidons. Je serre le siège entre mes cuisses pour rester en ligne droite. Le vent siffle à mes oreilles. La descente paraît interminable. Je dois tenir bon. Si je réussis à garder les yeux fermés jusqu'en bas, Thomas sera là. Sous mes paupières, je le vois faire des cascades sur son vélo. Défendre

Louis quand Maxime ou Yannick, les plus tannants de la classe, lui vole sa casquette.

Au parc, aucune trace de Thomas ni de ses amis. J'en fais plusieurs fois le tour avant de prendre à gauche et d'emprunter la rue Laforest. Je ne connais pas son adresse exacte, mais je sais qu'il reste dans le vieux quartier.

Je pédale au ralenti. J'examine chaque maison en cherchant un indice. Son vélo abandonné dans l'entrée, sa planche à roulettes, un panier de basket, peut-être ? Je me dévisse la tête pour tenter de l'apercevoir par une fenêtre et manque de foncer dans une voiture stationnée dans la rue. Je pose les pieds par terre, recule à petits pas, la fourche entre les jambes. De l'autre côté, une maison au toit gris et aux volets verts. Avec une moto dans l'entrée. Le père de Thomas est déjà venu le chercher à l'école à moto. C'est peut-être là qu'il habite ?

Sur le terrain voisin, une femme, les cheveux rayés comme le pelage d'une moufette, m'examine, un sarcloir à la main.

— Tu as perdu ton chat ou ton chien, ma petite ?

— Non, non.

Je remonte sur ma selle, un pied sur une pédale et l'autre sur la bordure du trottoir. Je m'apprête à partir. Puis, je me ravise.

— Est-ce que Thomas habite là ?

Je pointe du menton la maison aux volets verts. La femme-moufette hoche la tête, l'air désolé.

— C'est terrible, ce qui lui arrive. Un garçon si gentil. Plein de vie… Tu es venue lui rendre visite ?

Une chaleur soudaine me monte au visage. Je me mets à bégayer :

— Non, non. Mais… merci !

Je donne un coup de pédale et je m'enfuis sans regarder derrière.

Je n'ai pas osé retourner devant la maison de Thomas. Audrey nous a assuré qu'il viendra bientôt en classe nous rendre visite. C'est long. Le soir, j'étudie seule dans ma chambre. Ma mère refuse de me faire réviser mes mots de vocabulaire, mes verbes ou mes tables de multiplication.

— Pourquoi je perdrais mon temps, Ève ? Tu fais aucune faute dans tes contrôles de la semaine.

Quand je lève la main, ce n'est jamais moi qu'Audrey choisit. Elle préfère interroger Louis qui se met à cligner des yeux comme un oiseau-mouche derrière ses lunettes rondes. Ou Juliette, qui lui fait répéter la question pour gagner du temps.

— Le verbe, Juliette. On cherche le verbe dans la deuxième phrase.

Audrey est patiente. De plus, elle est belle. Elle a des cheveux longs qu'elle entortille sur sa tête avec n'importe quel objet qui lui tombe sous la main. Un crayon, une pince, un élastique. Elle nous raconte toutes sortes d'histoires qui lui sont arrivées. Elle gesticule tellement que, souvent, sa coiffure s'écroule. D'une main, elle la rafistole. De l'autre, elle récupère sa barrette ou son stylo tombé par terre. Sans nous quitter des yeux. En répétant sa maxime habituelle :

— Celui qui pose une question risque d'avoir l'air nono une minute. Celui qui n'en pose pas le restera toute sa vie !

Ensuite, elle claque des mains et ajoute :

— Avez-vous des questions ?

Moi, il y en a une que j'aimerais bien lui poser. Pourquoi elle a donné un cahier mauve à Émeline ? Qu'est-ce qu'elle a de si spécial, Émeline, pour qu'Audrey prenne le temps de lui écrire, à elle ?

C'est un cahier ordinaire. Un cahier *Canada* mauve avec trois trous. Depuis la semaine dernière, Émeline se promène partout en le serrant contre sa poitrine comme si un voleur allait s'en emparer. Chloé pense, comme moi, qu'elle cherche seulement à attirer l'attention.

Mais tantôt, dans le vestiaire du gymnase, Émeline m'a soufflé à l'oreille :

— C'est Audrey qui me l'a donné. C'est notre journal de correspondance.

J'ai brusquement arrêté de lacer mes souliers. Émeline s'est agenouillée devant moi et elle a ouvert son cahier sur le sol.

Dimanche 24 septembre

Ma belle Émeline,

Depuis le début de l'année, je remarque que tu as souvent besoin de me parler. Moi, je manque de temps pour t'écouter. J'ai pensé que tu pourrais m'écrire. Ainsi, je te lirais et te répondrais lorsque j'aurais un petit moment. Ce serait notre cahier de correspondance. À toutes les deux.

Que penses-tu de mon idée?

Un pincement au niveau de la poitrine. Comme si on brandissait devant moi une carte d'invitation à une fête à laquelle je ne suis même pas invitée.

— On se dépêche dans les vestiaires ! Avant que j'aie les cheveux complètement gris…

C'était la voix du grand Daniel, notre professeur d'éducation physique. Émeline a repris son cahier avant que j'aie le temps d'en lire davantage et l'a enfoui au fond de son sac de sport. Elle a resserré les cordons et l'a suspendu à un crochet. Puis, elle m'a lancé, debout près de la porte :

— Tu viens ?

CHAPITRE TROIS

– Une montagne en pâté chinois –

Le cours se termine enfin. Je me rue au vestiaire pour me changer. Je ne tiens plus en place. Ce matin, en lettres majuscules, juste en dessous de « Cours d'éducation physique », Audrey a inscrit à la craie : « **VISITE DE THOMAS** ».

Maintenant, je trépigne en rang dans le corridor. Maxime a la tête enfouie dans la boîte d'objets perdus. On dirait qu'il fait exprès de ne pas retrouver son chandail. À la fontaine, Momo boit comme s'il venait de traverser le désert alors que, derrière lui, la file continue de s'allonger. On ne partira jamais.

Quand on finit par arriver à notre local, il n'y a personne. Est-ce que Thomas est reparti ? Est-ce qu'il a changé d'avis ? Il est peut-être trop malade ? Plusieurs élèves se pressent autour d'Audrey.

— C'est sûr que Thomas va venir ?

— Bien oui, mes grands! Sa mère me l'a confirmé ce matin. Prenez un livre en attendant!

Je lis la même page depuis plusieurs minutes quand on cogne à la porte. Audrey manque de s'enfarger dans le tapis de rassemblement en allant ouvrir. Je me redresse sur ma chaise, m'étire le cou pour apercevoir Thomas par la fenêtre qui donne sur le corridor. Enfin, enfin, il est là.

Il entre et, aussitôt, vingt-quatre paires d'yeux s'allument comme des projecteurs. Il s'avance en hésitant, sa casquette sur la tête. Sa mère le suit quelques pas derrière. Audrey approche son tabouret.

— Non, ça va. Je vais rester debout.

Sa voix. Sa voix est toujours la même. On le dévisage sans rien dire. C'est lui qui brise le silence. Il nous explique que, pendant les vacances d'été, il avait souvent des migraines.

— Mes parents m'ont emmené à l'hôpital et j'ai passé des tests. C'est là qu'on a découvert que j'avais une tumeur au cerveau.

Thomas retire sa casquette et nous tourne le dos. Il baisse le menton.

— Ohhh…

On lui a rasé une longue bande de cheveux, en partant du milieu de la tête jusqu'à la base du cou. On dirait un scalp à l'envers, avec un bandage beige collé au fond, directement sur le crâne.

— Mon chirurgien m'a ouvert la boîte crânienne pour enlever la tumeur.

Thomas raconte son opération comme s'il s'agissait d'une construction Lego : emboîtez la brique rouge sur la jaune, ajoutez une plaque de titane pour bien solidifier le tout.

— Quand je me suis réveillé, après l'intervention, j'avais juste envie de manger…

Il déglutit avant d'ajouter :

— … une grosse assiette de pâté chinois !

Tout le monde éclate de rire. On sait que Thomas raffole du pâté chinois. Sa mère lui en met souvent dans sa boîte à lunch. Mais je pense surtout qu'on est soulagés de le retrouver comme avant. En train de faire des blagues.

Sa mère termine en nous expliquant que Thomas fait présentement de la radiothérapie et qu'ensuite il devra subir des traitements de chimiothérapie. Après, il reviendra peut-être à l'école.

La journée de classe terminée, je file jusqu'à la maison. Le vent secoue les branches des grands érables, soulève les feuilles mortes ramassées en tas le long du trottoir. On dirait qu'il va pleuvoir. Je me dépêche. Dans mon dos, un carton blanc soigneusement roulé dépasse de mon sac.

J'insère la clé dans la serrure et monte dans ma chambre. Je déroule le carton blanc sur mon bureau. Pour le maintenir en place, je prends quatre petites tortues de ma collection et je les pose sur chaque coin. La rose en papier mâché qui me vient du Mexique, la verte en pierre taillée, celle avec une tête qui remue et ma préférée, que j'ai fabriquée cet été avec une roche brillante, toute picotée, cueillie dans mon ruisseau. Je prends un crayon à mine et je m'installe sur ma chaise.

Au-dessus du carton, soudain, ma main hésite. Quand Audrey m'a confié la tâche de réaliser la carte format géant pour Thomas, j'étais confiante. J'ai proposé de dessiner une montagne de pâté chinois, avec Thomas qui la dévale sur son vélo. Toute la classe était d'accord. Je rêvais même d'aller la porter chez lui, de sonner à sa porte, le voir, lui parler.

Mais là, je ne sais plus. Est-ce vraiment une bonne idée, le vélo ? Ça ne va pas plutôt lui faire de la peine. Lui rappeler ce qu'il manque. J'abandonne mon crayon et vais me coller le nez à la fenêtre. Dehors, il pleut à verse. Le ciel est enragé. Pourquoi ça existe, le cancer ? Pourquoi il s'attaque aux enfants ? Pourquoi Thomas ?

Émeline m'attend devant mon casier, sa nouvelle veste rembourrée sur le dos.

— Devine ce que je vais faire en fin de semaine…

Je n'ai pas envie de jouer aux devinettes. Je suis pressée de retourner à la maison, m'installer à mon bureau et reprendre mon dessin là où je l'ai laissé hier. La montagne de pâté chinois est presque terminée. Je ne suis pas certaine que ce soit la meilleure idée, mais je n'ai rien trouvé de mieux. Je m'applique afin de rendre le croquant des grains de maïs, le velouté de la purée de pommes de terre. Comme si mes efforts pouvaient sauver Thomas.

Ou peut-être… lui montrer que j'existe ? Que je pense à lui ?

Sur la tablette du haut, je prends mon cartable d'étude et le glisse dans mon sac.

— Tu vas avoir une surprise, en me voyant, lundi…

Émeline croise les bras sur sa poitrine. J'imagine qu'elle participe à une autre course à pied et qu'elle pense revenir avec une médaille. Je la pousse doucement pour prendre mon imperméable.

— Tu pourrais venir, si tu veux…

— Je suis pas mal occupée en fin de semaine.

Je la contourne, ramasse mon sac à dos sur le plancher et je me sauve en vitesse.

— Ben… à lundi !

CHAPITRE QUATRE

– Un kiwi achalant –

Lundi matin, quand Émeline se pointe au bout du corridor, les garçons et les filles se retournent sur son passage, bouche ouverte. Elle sautille, comme d'habitude. S'arrête devant mon casier.

— Comment tu me trouves ?

Son sourire s'étire jusqu'aux oreilles. Je la dévisage, les yeux ronds. Comment elle a pu faire ça ? Je sais qu'elle aime attirer l'attention. Elle n'arrête pas de se vanter qu'elle a nagé avec des dauphins, que son beau-père accomplit des missions secrètes pour l'armée, mais là, c'est complètement différent. Se faire raser la tête ! Perdre tous ses cheveux ! Son crâne est recouvert d'un mince duvet noir. Ça donne envie de l'effleurer. Je tends la main. Elle ne bouge pas. C'est doux.

— J'ai participé au Défi têtes rasées Leucan !

Elle se tient droite, le menton levé. Je me demande si j'aurais le courage de faire une chose pareille. Pour Thomas. J'aimerais dire oui. J'y pense tout l'avant-midi.

Pendant la causerie, Émeline nous explique que son grand-père est mort du cancer. Son cousin s'est inscrit au Défi têtes rasées et, après la visite de Thomas, elle a eu envie de participer.

— On a amassé 958 $!

Au dîner, je l'observe. Elle mange son sandwich à la table voisine. Elle a de grands cils noirs, des oreilles délicates, des taches de rousseur. Je n'avais pas réalisé avant aujourd'hui qu'elle était jolie.

— Tu serais capable de faire ça ?

Chloé lève les yeux.

— Quoi ?

— Te faire raser la tête.

Je lui pointe Émeline qui butine d'un groupe à l'autre dans la classe. C'est notre période de jeux libres. Chloé hausse les épaules.

— Je sais pas.

Elle continue à colorier le plan que j'ai tracé. Celui de nos maisons, plus tard.

— Toi?

Je secoue la tête. Juste à imaginer de quoi j'aurais l'air sans cheveux, j'ai envie de me terrer dans un trou pendant un an. Je prends mon crayon et je trace un pont. Il traverse le ruisseau, entre nos deux maisons.

*

Ma carte pour Thomas traîne au secrétariat depuis deux semaines, en dessous des travaux qu'Audrey lui prépare chaque vendredi. Sa mère n'est pas encore venue les chercher. Je suis inquiète. Même si ça n'arrête pas de me trotter dans la tête, je n'ose pas proposer d'aller porter ma carte chez lui. Trop pissou.

En plus, Émeline me tombe sur les nerfs. Elle a un sourire tatoué en permanence sur le visage. Maxime la traite de kiwi, elle sourit. On l'appelle «Émelin», elle sourit encore. Tantôt, Audrey a proposé qu'on écrive un article sur Leucan pour le journal de l'école. Devinez qui sera en première page? Mme Sourire, bien sûr. On va l'envoyer

à Thomas. À côté de ça, ma carte de prompt réta-
blissement a l'air d'un paquet de vieux biscuits
ramollis.

Les cheveux d'Émeline repoussent. Plus foncés
qu'avant. Presque noirs. On ne voit plus son crâne.
Elle porte des bandeaux roses et mauves, à motifs
de fleurs ou de petits pois. Aucune utilité, mais
c'est vrai que ça fait joli.

Ce matin, elle est arrivée à l'école avec des faux
ongles. Mauve éclatant, blanc à paillettes, rose
fluo. Elle a proposé de m'en mettre à la récréation.

— Non, merci. C'est pas mon genre.

Maintenant, elle est enfermée dans les toilettes
avec Anne-Sophie et sa *gang*. Je les entends rire.
Émeline doit s'imaginer qu'elles sont devenues
amies. Je parie que, la manucure terminée, elles
vont continuer de l'ignorer. Au-dessus de moi,
grimpée sur une chaise, Chloé me tend un dessin
de monstre. Audrey nous a demandé d'enlever nos
œuvres sur le mur du corridor en prévision de Noël.
Je le saisis. Retire la gomme bleue restée collée
derrière et le dépose sur la pile.

Soudain, des talons claquent sur le plancher. Mme Brochette se dirige droit vers les toilettes. Elle passe devant nous sans ralentir, stoppe net sur le seuil :

— Vous n'êtes pas censées être à la récréation, jeunes filles ?

Elle les sermonne d'une voix indignée. Les filles finissent par sortir des toilettes en se retenant pour ne pas pouffer de rire. Elles sont collées les unes aux autres et tiennent leurs doigts écartés devant elles pour admirer leurs ongles multicolores. On dirait un paon qui marche à reculons.

Je ne sais pas ce qui m'a pris. Je n'aurais jamais dû accepter de me placer en équipe avec Émeline. Maintenant, je me retrouve, vendredi après-midi, seule pour faire tout le travail. Quand Audrey a eu fini de nous donner les consignes, madame s'est soudain sentie mal. Elle a demandé à Audrey la permission d'aller se reposer au coin lecture.

J'efface mon dernier chiffre. Ma feuille se chiffonne. Et puis, non ! Je ne ferai pas ça toute seule ! Je recule brusquement ma chaise et je me dirige d'un pas décidé vers le coin lecture. Émeline est là, étendue de tout son long sur le gros coussin bleu. Je me plante devant elle, les bras croisés :

— Émeline !

Elle fait semblant de dormir. Si elle s'imagine que je vais la croire avec le vacarme qu'il y a autour !

— ÉMELINE !

Elle ne bronche pas. Ça suffit ! Je me penche au-dessus d'elle.

— Tu penses que tu peux tout te permettre parce que tu t'es fait raser la tête, hein ? Ben non. J'ai accepté de me placer en équipe avec toi parce que… parce que… je voulais te faire plaisir. J'avais pas envie que tu te retrouves seule encore une fois !

Silence radio. Je suis tout près de son oreille maintenant.

— T'as jamais remarqué qu'il y a personne qui veut travailler avec toi ? Tu t'es jamais demandé pourquoi ? Je vais te le dire, moi. Personne a envie de travailler avec toi parce que t'es A-CHA-LANTE. T'arrêtes pas de nous courir après. Tu nous sautes dessus. Tu cherches toujours à attirer l'attention. Tu parles sans arrêt. C'est FA-TI-GANT !

Ma colère tombe d'un coup. Émeline se recroqueville sur le coussin. Est-ce que je viens vraiment de lui balancer tout ça ? Moi ? Je me redresse lentement, rentre les épaules, lui tourne le dos.

Samedi 24 novembre, 18 h

Non! Ce n'est pas vrai! Le directeur de l'école a téléphoné à la maison pour me l'annoncer. Samedi, en plein milieu de l'après-midi, alors que je ramassais les feuilles mortes sur le terrain. J'ai eu l'impression d'encaisser un direct en plein ventre. Mes genoux ont fléchi. J'ai tout de suite pensé à ta mère. Étais-tu avec elle quand c'est arrivé? Le directeur m'a dit que non. Tu étais chez ton père. Il m'a fait quelques recommandations. Puis, un silence. Oui, oui, j'allais l'annoncer moi-même aux enfants. Il a raccroché en me rappelant que le psychologue et Françoise, l'éducatrice spécialisée, seraient là pour me soutenir auprès des élèves.

Samedi 24 novembre, 21 h

Comment parle-t-on de la mort aux enfants? Tu veux bien me le dire? Dès la rentrée, j'ai dû prononcer des mots qui ne sont pas dans vos listes de vocabulaire. Cancer. Tumeur. Chimiothérapie. Des mots qui peinaient à sortir de ma gorge. Qui écorchaient. Égratignaient. Faisaient peur. Je le voyais dans vos yeux. Mais il y avait l'espoir. On s'y est accrochés.

Dimanche 25 novembre, 21 h 45

Tu te plaignais d'un mal de tête. Dans le brouhaha du vendredi après-midi, je t'ai à peine accordé mon attention. Je m'en veux tellement. Si j'avais été à l'écoute, est-ce que j'aurais pu déceler un signe sur ton visage ? Arrêter le compte à rebours ?

Tu es allée te reposer au coin lecture. Je crois même que tu as dormi. En te relevant au milieu de l'après-midi, tu m'as demandé la permission de téléphoner à la maison. J'ai essayé de te convaincre d'attendre la fin de la classe. Tu as insisté. J'ai finalement accepté et c'est ta grand-mère qui est venue te chercher. Vers 14 h 30.

La mort faisait son nid. Moi, je n'ai rien vu, rien senti.

CHAPITRE CINQ

– Non ! C'est impossible ! –

La Corolla grise de ma mère nous dépose, mon frère et moi, devant l'entrée de l'école. Au secrétariat, Lucie nous tend nos cartes d'absence en continuant de fixer l'écran de son ordinateur. Jacob se hausse sur la pointe des pieds pour attraper sa carte au-dessus du comptoir.

— Le réveille-matin n'a pas fonctionné ?

— On avait rendez-vous chez le dentiste.

Je remets à Lucie le message de ma mère pour justifier notre retard. Puis, je salue mon frère et je fonce vers mon local. Avec un peu de chance, j'aurai seulement raté la causerie. Je file dans le corridor. Dans chaque classe, des rangées d'élèves endormis. C'est lundi. J'expédie mes bottes au fond de mon casier, accroche mon manteau, glisse les pieds dans mes souliers sans prendre le temps de les attacher.

Sur le seuil de la classe, je stoppe net. Quelque chose de grave s'est produit. Thomas ! C'est sûrement Thomas ! Mon cœur s'arrête. Les élèves me dévisagent, mais c'est comme s'ils voyaient au travers de moi. Normalement, Yannick serait en train de bombarder Frédérique de bouts de gomme à effacer ou de boulettes de papier. Anne-Sophie ricanerait avec Camille. Chloé me ferait signe. Mais là, rien de tout ça. Ils restent figés comme des statues.

Je me rends sans bruit jusqu'à ma place. Une partie de moi veut savoir. L'autre veut s'enfuir en courant. J'attends. C'est Chloé qui se penche à mon oreille.

Lundi 26 novembre, 10 h 30

Je viens d'annoncer aux élèves que tu ne reviendras plus. Je ne sais pas comment j'ai fait ! On m'a conseillé de dire la vérité. Sans détour. J'ai pris une voix de présentatrice météo. Calme et posée.

Aujourd'hui, le temps sera froid. Une petite fille est morte. Le ciel restera nuageux. Elle s'est couchée en rentrant de l'école. Dans la soirée, son père est allé la voir. Elle ne respirait plus. Possibilités d'averses dispersées. Les policiers sont arrivés et, peu après, l'ambulance. Un vent du nord-ouest soufflera en rafales. Ils ont essayé de la réanimer, mais c'était trop tard. Pensez à vous habiller chaudement. Fin.

Si tu les avais vus, Émeline! On aurait dit des pantins désarticulés sur leurs sièges. Immobiles. Complètement désorientés. Même Maxime n'a rien trouvé à dire. Il est demeuré en équilibre sur les deux pattes de sa chaise, la bouche ouverte.

C'est un bruit étrange qui nous a sortis de notre torpeur. Une sorte de grognement. Ou, plutôt, la plainte d'un petit animal blessé. Au début, je n'ai pas vu d'où ça venait. Les fenêtres étaient fermées. Puis, j'ai aperçu Momo, recroquevillé derrière son pupitre, le visage caché entre les genoux. Il sanglotait, le pauvre chaton. Je me suis approchée et je lui ai effleuré l'épaule. Le chaton s'est aussitôt transformé en tigre. Il hurlait, frappait, crachait, toutes griffes dehors. Je ne l'avais jamais vu aussi agité. Françoise (ta « TES laplussemeilleuromonde ») est arrivée en renfort. Il a fini par se calmer et l'a suivie à son bureau.

Après, j'ai répondu à toutes les questions. En essayant de taire le trémolo qui pointait dans ma voix. Me concentrer sur les enfants qui étaient là. Devant moi. Les rassurer.

« Non, elle n'a pas eu mal. » « Oui, elle avait une maladie, l'épilepsie. C'est pour ça qu'elle est morte. » « Non, personne ne peut l'attraper. » « Non, elle n'a pas avalé sa langue. » « Non, tu ne risques pas de mourir en t'endormant ce soir. »

« Oui, sa maman doit avoir énormément de peine. »

En fait, je n'arrive pas à imaginer ce que ta maman peut ressentir. C'est trop dur, ma puce.

Les mains ont fini par demeurer baissées. Ça ne s'est pas si mal passé en fin de compte. Juliette, Camille, Louis et quelques autres ont pleuré discrètement. Françoise m'a dit qu'elle irait l'annoncer dans la classe de Mme Brochu, pour que tes camarades n'apprennent pas ton décès à la récréation, entre deux poteaux de ballon-poire.

C'est là que Yannick a murmuré :

— C'est triste, la mort…

Et Frédérique d'ajouter, au diapason:

— Oui, c'est vrai... on revoit jamais la personne.

Te souviens-tu d'un seul moment où ces deux-là se sont entendus?

C'est la récréation. Le dos appuyé contre la clô-
ture, au fond de la cour, je vois tout. Près du terrain
de soccer, des garçons se poursuivent en hurlant
« Mort aux envahisseurs ! ». Sur la partie asphaltée,
des enfants jouent au ballon, à la corde à danser,
aux quatre coins. D'autres attendent leur tour en
file devant les poteaux de ballon-poire. Chloé est là.
Je lui ai dit de me laisser tranquille. Elle a compris.

Je me répète que non, c'est impossible ! Émeline
ne peut pas être morte. Elle était là, vendredi, avec
nous. Pour mourir, il faut être vieux. Ou alors, gra-
vement malade. Comme Thomas. On doit habiter
dans un pays où c'est la guerre, très loin d'ici. Il y
a aussi des enfants qui meurent de faim. Ma mère
le répète souvent quand je rechigne à finir mon
assiette. Mais c'est ailleurs. Ici, on ne meurt pas en
revenant de l'école. À neuf ans.

La cloche sonne. Les enfants courent en direction de l'école. Je les suis comme un robot. Avance
dans le rang. Franchis la porte. Retire mon manteau. Gagne la classe. M'assois. Anne-Sophie et sa
gang reviennent du bureau de Françoise, les yeux
rouges. Simon place ses crayons par ordre de gran-
deur sur son pupitre. Momo est toujours absent. Je
fixe le TNI.

Audrey s'assoit sur son tabouret. Remonte ses cheveux d'une main. Ses yeux parcourent le groupe. Je baisse la tête. Sa voix cherche à nous rassurer :

— Personne ne réagit de la même manière... c'est normal. Vous êtes tous différents.

Elle fait une pause. Reprend, comme si elle s'adressait à chacun d'entre nous :

— Tu peux avoir de la peine. Pleurer. Ça fait du bien. Tu peux te sentir fâché. Être en colère. Avoir peur. C'est normal. Ça fait peur, la mort. Ça se peut aussi que tu ne ressentes rien. C'est correct.

Son regard s'arrête quelque part derrière moi. Je ne veux pas me retourner. Voir le pupitre d'Émeline. Les yeux d'Audrey brillent. On dirait qu'elle va pleurer. Oui, c'est ça. Des larmes coulent sur ses joues et elle ne fait rien pour les essuyer. Autour de moi, soudain, ça renifle, ça sanglote. Simon pleure comme un bébé. Chloé hoquette à côté de moi. Je reste immobile.

Lundi 26 novembre, 12 h 15

Oh! Émeline! J'ai voulu me montrer forte, rassurante, mais j'ai craqué. Heureusement que Momo était encore avec Françoise. Je ne crois pas qu'il aurait supporté mes larmes.

Étonnamment, c'était réconfortant de pleurer tous ensemble. Mais après un moment, j'ai senti qu'il était temps de passer à l'action.

— Qu'est-ce qu'on pourrait faire pour consoler la maman d'Émeline? Vous avez des idées?

On a discuté et on s'est mis d'accord pour lui offrir un coffre rempli de souvenirs. Certains voulaient dessiner, d'autres préféraient écrire un message ou composer un poème. On a parlé de ton sourire, de ton énergie débordante, du cross-country que tu as remporté encore une fois cette année. De ton courage et tes innombrables câlins. De la chanson *Dans la danse* d'Éli et Papillon que tu adorais. C'était beau de voir tes compagnons parler de toi avec autant d'affection et de chaleur.

J'avais commencé à distribuer les feuilles quand la question que je redoutais a fusé dans la classe:

— Elle est où, Émeline?

C'est Simon qui l'a posée. Venant de lui, toujours si terre à terre, je me suis demandé s'il voulait savoir où était ton corps. Là, je t'avoue, j'ai eu peur. Je n'avais pas du tout envie d'évoquer en classe un tiroir d'hôpital froid et obscur. Parler d'autopsie. J'ai commencé par bafouiller. Des images d'anges, de ciel, d'étoiles et de lumière m'ont à nouveau traversé l'esprit. J'ai fini par avouer humblement :

— Je ne sais pas.

Maxime a voulu me prêter main-forte. Il a lancé, sa chaise toujours basculée vers l'arrière :

— Tu peux pas savoir, Audrey, t'es jamais morte !

Je suis restée quelques secondes interdite. Puis, j'ai éclaté de rire. Je riais et je pleurais en même temps. Mon rire s'est propagé dans la classe et ça a fait un bien fou.

Au dîner, Chloé se coule près de moi à la table.

— Ça va ?

— Hum…

— Tu veux qu'on se mette en équipe ensemble, tantôt, pour le coffre à souvenirs ?

Je ne réponds pas. Je continue à manger mon sandwich au jambon.

— On pourrait dessiner Émeline en fée Clochette. Tu te souviens, à l'Halloween, quand tu lui avais prêté ton costume ? Elle était tellement contente !

Ça se met à tambouriner dans ma tête. J'ai mal. J'appuie les doigts sur mon front et je pèse très fort.

— Ça va ?

— Ben oui…

— T'es sûre ?

— Je t'ai répondu que oui !

Ma voix claque. Comment dire à Chloé que je ne peux rien mettre dans le coffre ? Rien, rien, rien !

Lundi 26 novembre, 16 h 30

À la fin de la journée, je surveillais au débarcadère d'autobus. Juste avant de grimper à bord, Louis est revenu vers moi et m'a demandé, en remontant ses lunettes sur son nez :

—Est-ce qu'Émeline va être là, demain ?

J'ai eu l'impression que mes deux bras se détachaient de mon corps et que, si je ne faisais rien, ils allaient tomber sur l'asphalte. Je pensais avoir été claire. J'avais pris soin d'expliquer concrètement que ton cœur avait cessé de battre. Que tu ne respirais plus. Que, désormais, tu ne pouvais plus parler, ni bouger, ni voir ou entendre. N'avait-il rien compris ?

J'ai pris ses mains entre les miennes et j'ai secoué la tête de gauche à droite.

— Non, Louis. Émeline ne sera pas là demain. Ni après-demain. La mort, c'est pour toujours.

Il m'a fixée quelques secondes et il est reparti vers son autobus en courant.

Lundi 26 novembre, 21 h 30

Je suis assise dans la pénombre, sur le plancher du salon, notre cahier en équilibre sur les genoux. Je pense à Louis. À la réponse que j'ai envie de lui hurler, ce soir. OUI, tu seras encore là demain, Émeline. Dans nos pensées et nos gestes. Ton absence est partout dans la classe. Je ne sais pas comment l'apprivoiser.

Il doit être vraiment tard. J'entends la chasse d'eau, puis les pantoufles de ma mère qui traînent sur le plancher. Elle s'approche de ma chambre. Je l'imagine étirer la tête par l'entrebâillement de la porte pour vérifier si je dors.

En arrivant de l'école, tantôt, j'ai déposé sur la table de la cuisine la lettre aux parents annonçant la mort d'Émeline. Ma mère l'a prise distraitement en vérifiant le devoir de mon frère. Quand elle a réalisé de quoi il s'agissait, elle m'a dévisagée, les yeux écarquillés.

— Qu'est-ce qu'Audrey vous a dit ?

— Ben… qu'Émeline est morte.

— C'est tout ?

— Hum.

Ma mère a fini par laisser tomber et s'est mise à éplucher les pommes de terre comme si elle voulait remporter le prix de la meilleure éplucheuse de patates. Maintenant, je l'entends qui avance en tâtonnant dans le noir. Elle bute sur ma chaise, étouffe un « mautadine » entre ses dents. Puis, elle s'assoit sur le bord de mon lit et glisse les doigts dans mes cheveux.

Je ferme les yeux. Je revois Émeline. Étendue sur le gros coussin bleu. J'essaie de chasser l'image, mais elle revient, se colle sur ma rétine. Ma mère continue de me flatter les cheveux. C'est si rare. Au fond de moi, une voix retentit : « T'as pas le droit de te servir de la mort d'Émeline pour te laisser cajoler. »

Je dégage ma tête de ses mains. Me retourne face au mur.

CHAPITRE SIX

– Le mauvais sort –

C'est le premier cours d'anglais depuis la mort d'Émeline. À l'avant, miss Laeticia prend les présences. Pour une fois, elle n'a pas besoin de répéter nos noms. On est attentifs. Quand elle nomme Maxime Gagné, juste avant Émeline, chacun retient son souffle. Maxime répond :

— *Present!*

Rosalie agite alors la main haut dans les airs, en faisant des bruits de gorge bizarres pour attirer l'attention de la prof. Miss Laeticia garde les yeux rivés sur sa liste.

— Camille Lachapelle.

Sans aucune hésitation. Elle a sauté le nom d'Émeline comme s'il n'avait jamais existé. Elle continue à défiler sa liste jusqu'à Simon Vaillancourt avant d'enchaîner :

— *Note book, page seventeen.*

« *Note book, page seventeen.* » C'est tout. C'est TOUT! Elle nous fait réciter les jours de la semaine en anglais, alors qu'il y a un TROU IMMENSE à côté de Rosalie, là où Émeline s'assoyait. Miss Laeticia s'indigne :

— « *Tioussdé* », *mister Louis, not* « *toussdé* » ! *And pleeease, turn to the right page.*

ON S'EN FOUT! On s'en fout complètement. On n'aura peut-être jamais la chance de parler anglais à un autre moment qu'au jour deux, à la première période de la journée! Bien sûr, ce que je pense ne sort pas de ma bouche. Je continue à remuer les lèvres sagement pour faire croire que je participe.

À la fin du cours, on se rue pour aller prendre notre rang devant Audrey. Dans la bousculade, Maxime fait tomber l'étui de Rosalie. Ses crayons roulent sur le plancher. Yannick trébuche, accroche Momo sans faire exprès.

— Tu veux mon poing dans ta face? C'est ça que tu veux?

— Capote pas, Momo.

— Mon nom, c'est pas Momo, c'est MAURICE!

Momo empoigne Yannick par le col de son chandail. Audrey a du mal à les séparer. Elle flatte son dos immense en nous faisant signe d'avancer.

— Allez-y, mes grands. Je vous rejoins en classe.

Je reste pour aider Rosalie à ramasser ses crayons. À son bureau, miss Laeticia réaligne ses copies en plissant le front.

Mercredi 28 novembre, 17 h 30

La nouvelle de ta mort est comme un caillou lancé sur la surface calme d'un lac. Après l'impact, les ondes de choc s'élargissent et nous touchent chacun à son tour, avec une force différente. Momo s'est à nouveau battu dans la cour. Les parents de Juliette m'ont écrit qu'elle a peur de s'endormir le soir. À la récréation, certaines de tes compagnes de classe vont pleurer au bureau de Françoise. D'autres se tiennent éloignés, quelque part sur la rive, en espérant être épargnés par les ondes. Ève, par exemple. Je ne sais pas si c'est possible.

Plusieurs fois, aujourd'hui, j'ai sorti mon cellulaire pour appeler ta maman. Plusieurs fois je l'ai rangé, sans même composer ton numéro de téléphone. J'aimerais avoir d'autres nouvelles, connaître la suite des évènements, mais je n'ose pas. Je ne veux surtout pas la bousculer. A-t-elle seulement la force d'organiser tes funérailles ?

Depuis qu'Audrey nous a annoncé la mort d'Émeline, je me dépêche de finir mes travaux, même si ça n'a aucun sens, et je saisis chaque occasion de sortir de la classe. Je vais porter les livres à la bibliothèque, les cartes d'absence au secrétariat, je fais toutes les commissions. J'ai des envies de pipi subites et pressantes. Audrey ne dit rien. Elle me laisse aller. Je ne veux plus voir le pupitre d'Émeline. Il croule sous les dessins, les bricolages et les messages d'amour. Quelqu'un a même déposé une licorne en peluche dessus, hier. N'importe quoi. Depuis qu'elle est morte, tout le monde l'aime.

Dans les corridors, les adultes parlent à voix basse, l'air grave, debout près d'une porte ou appuyés contre un mur. Lorsque je passe devant eux, ils se taisent brusquement. Je sais bien de quoi il est question. La mort d'Émeline est sur toutes les lèvres. Je me demande ce qu'on dirait de moi, si je mourais. Que j'étais une bonne élève ? Responsable ? Une fille douce et gentille ? Pfff… Ils ne savent pas de quoi je suis capable.

Je pousse la porte des toilettes, m'enferme dans une cabine. Je reste là. La cloche de la récréation sonne. Des filles entrent en jacassant. J'entends le bruit des robinets. Les chasses d'eau qu'on déclenche. Puis le silence, à nouveau. Je sors. Je longe les cabines désertes. M'arrête devant la longue série de lavabos. Je scrute le mur du fond par le miroir. Il n'y a personne. Qu'est-ce que j'imagine ? Qu'Émeline va venir me faire un coucou au-dessus du lavabo ?

En sortant, j'aperçois Anne-Sophie et ses pleureuses qui se dirigent vers le bureau de Françoise. Elles se tiennent par les épaules et ressemblent à une étrange créature à cinq têtes.

Vendredi 30 novembre, 12 h 15

J'ai rétabli la routine, même si, il y a moins d'une semaine, tu étais avec nous. Tes compagnons de classe en ont besoin. La plupart ont repris leurs jeux, leurs mauvaises habitudes, les taquineries douteuses. Le bac de récupération déborde, personne encore n'a osé te remplacer. J'irai le vider ce soir.

Depuis que tu es partie, Momo refuse de travailler. Je crois que ta mort a réveillé une blessure ancienne. Il reste assis à son pupitre, l'air buté. Ne se donne même pas la peine de tenir son crayon. Je n'ose pas le forcer. J'ai peur de provoquer une autre crise.

Au moment de préparer nos sacs d'école, Audrey ramasse une pile de feuilles sur son bureau et nous rassemble au tapis. Elle s'agenouille devant nous, le dos droit, sourire crispé.

— J'ai une lettre pour vos parents…

Elle tient le paquet entre ses mains, l'égalise sur ses cuisses.

— … concernant le salon funéraire.

Le bruit autour cesse immédiatement. Audrey mouille le bout de son index et se met à compter les feuilles. On attend, sur le qui-vive. Elle lève la tête. Une mèche de cheveux s'échappe de sa toque.

— Vous êtes invités au salon funéraire, mes grands. Pour Émeline. Toutes les informations sont dans la lettre. Je vous l'ai déjà dit, votre présence n'est pas obligatoire. Discutez-en avec vos parents.

Ses yeux nous enveloppent, comme une couverture très douce.

— Moi, j'y serai. Je vais apporter votre coffre à souvenirs… pour le donner à sa maman.

— Est-ce que Thomas va y aller ?

C'est sorti tout seul. Je n'ai même pas levé la main.

— Je... Ses parents vont recevoir la lettre, comme tous les parents de l'école.

J'ai l'impression que mon visage devient soudain très pâle.

— Qu'est-ce qui se passe, Ève ?

— Rien, rien.

Thomas doit rester chez lui, à l'abri. Là-bas, j'en suis sûre, le mauvais sort rôde. Il va le contaminer.

CHAPITRE SEPT

– Comme la fée Clochette –

J'ai chaud. J'ai peur. J'ai mal au cœur. La file avance à pas de bébé tortue. Personne ne parle. Plus loin, dans l'escalier, deux garçons que je ne connais pas se poursuivent en rigolant. Ils n'ont pas l'air de réaliser qu'on est dans un salon funéraire. À côté de moi, ma mère presse sa sacoche sur son ventre. Je chuchote :

— Maman... on est vraiment obligées d'attendre en ligne ?

— Voyons, Ève... On vient juste d'arriver.

Je rentre la tête dans mes épaules. Ma mère n'a pas besoin de parler si fort ! Je jette des regards inquiets autour. Heureusement, je ne vois pas Thomas. J'entends deux filles de cinquième, derrière moi :

— Je me suis assise avec elle, y a pas longtemps, dans l'autobus. C'est bizarre, hein ?

— Moi, je l'ai vue au cinéma avec sa mère…

Ma poitrine se serre. Si ça continue, je vais étouffer.

— Maman… est-ce qu'il y a des toilettes, ici ?

Mardi 4 décembre

Catherine, ta prof de troisième année, a proposé qu'on se rende ensemble, avec d'autres collègues, au salon funéraire. Pendant le trajet, Mme Brochu, la terrible Mme Brochu, avec son air pincé et ses innombrables règlements, a sorti de son sac à main le paquet de faux ongles autocollants qu'elle t'avait confisqué la semaine dernière. Catherine et moi, on s'est regardées à la dérobée, mal à l'aise.

Tu sais ce qu'elle a fait ensuite ? Elle a pris un de tes faux ongles mauves et elle se l'est collé sur le petit doigt ! Elle y a même ajouté une étoile brillante. Puis, elle nous a obligées à

tendre la main chacune à son tour. On est
d'abord restées muettes. Puis, le moment de
gêne passé, on a ri comme des folles. Les
secousses sur la route empêchaient Mme Brochu
d'aligner correctement nos faux ongles et elle
a lâché une série de gros mots que je ne l'aurais
jamais imaginée capable de prononcer. On riait
tellement, ma belle Émeline, qu'on en pleurait.
Jusqu'à ce que la voiture tourne devant le
complexe funéraire. Le silence est tombé
d'un coup.

Catherine a mis du temps à trouver une
place dans le stationnement bondé. Nous
sommes sorties dans l'air froid de ce début
décembre. Mes talons claquaient sur l'asphalte.
L'étau, dans ma poitrine, se resserrait. J'ai eu

envie de faire demi-tour. M'enfuir. J'ai continué d'avancer, le coffre à souvenirs de tes compagnons serré contre ma poitrine.

À l'intérieur, le hall était vaste avec de hauts plafonds. Beaucoup de visages inconnus. Trop d'enfants. Une longue file de gens attendaient. En silence. Je l'ai longée pour m'approcher de l'unique salle, au fond. C'est là que j'ai vu ton nom, en lettres blanches, sur l'affiche posée à l'extérieur. Émeline Gagnon. J'ai reçu une décharge électrique en plein cœur. J'ai encaissé en réprimant l'envie d'arracher les lettres. Que ce cauchemar finisse, que tu reviennes en classe, qu'on s'assoie ensemble pour faire les ateliers de mathématiques. J'ai aperçu ta grand-mère qui traversait la salle au loin.

Digne. Calme. J'ai coulé un regard en biais vers ta maman, debout face à la file de gens qui s'étirait jusqu'à l'entrée. Je suis allée rejoindre mes collègues tout au bout, saluant au passage Ève et sa maman d'un signe de tête.

L'homme et la femme devant nous s'écartent. C'est à notre tour. Ma mère me pousse vers l'avant. Je ne sais plus où regarder. J'examine attentivement les motifs sur les dalles grises.

— Toutes mes condoléances, madame. Ève était dans la même classe que votre fille.

La maman d'Émeline, le dos arrondi, se penche encore plus.

— C'est toi, son amie Ève ?

« Son amie Ève. » Mon ventre se tord.

— Émeline me parlait souvent de toi…

Les mots sortent très lentement de sa bouche, comme si elle avait de la difficulté à articuler. Ses bras se soulèvent et je me retrouve soudain coincée contre sa poitrine. Je ne peux plus respirer. Qu'est-ce que je suis censée faire ? Enfin, enfin, elle me relâche et on peut entrer dans la grande salle.

Je cherche Émeline. Je me dis que c'est maintenant qu'elle va arriver derrière moi, me plaquer les mains sur les yeux et lancer : « Devine c'est qui ! » C'est là que je vais me mettre à pleurer et m'excuser pour tout ce que je lui ai craché l'autre jour.

Je vais lui expliquer que j'étais fâchée, que je suis désolée, que ce n'est pas vrai qu'elle est achalante. Je vais lui demander de ne plus jamais nous faire un coup pareil. Elle va m'entraîner en riant sous l'immense arche de ballons roses et blancs qui traverse la salle. Je serai tellement soulagée que je ne lui en voudrai même pas. Au contraire. Je m'excuserai encore et encore. Après, je lui proposerai de me coller des faux ongles, je l'inviterai chez moi, on inventera des histoires, on mangera des bonbons en cachette, on se balancera jusqu'à ce que nos pieds touchent le ciel, comme de vraies amies.

— Elle est où, Émeline ?

La question ne vient pas de moi. C'est un petit bonhomme, chapeau rouge noué sous le menton, qui l'a posée. Il tire sa maman par la main. Celle-ci s'agenouille près de lui, le retient dans ses bras. Elle lui montre l'urne placée au centre d'une longue table. Une boîte délicate, en céramique couleur sable, avec une rose incrustée sur le devant.

Je fixe l'urne. Secoue la tête. C'est vraiment tout ce qui reste d'Émeline ? Ça ne se peut pas. Juste à côté, dans un cadre en argent, on voit le visage souriant d'Émeline. Une série de petites tresses collées sur la tête. Sûrement une photo prise en République dominicaine. Elle porte son collier pour l'épilepsie. Qui n'a servi à rien.

— Mais… comment elle a fait pour entrer là-dedans ?

Le petit bonhomme ouvre de grands yeux étonnés devant la boîte en céramique. Si je n'étais pas aussi triste, je rirais. Je lui raconterais qu'Émeline s'est transformée en génie. Qu'il faut frotter le vase pour la voir apparaître et qu'elle va exaucer trois vœux. Sa maman lui raconte plutôt une histoire à propos d'une chenille, d'un cocon et d'un papillon qui s'envole. Le petit n'écoute plus, il veut un ballon blanc. Son doigt pointe l'arche de ballons au-dessus de nous. Je le suis du regard. Les yeux plissés sous les néons, j'imagine Émeline. Elle vole dans les airs, d'un bout à l'autre de la salle, comme la fée Clochette.

Mardi 4 décembre (suite)

Quand je me suis retrouvée devant ta maman, toutes les phrases que j'avais retournées dans ma tête se sont effacées. Aucun mot possible. Je l'ai prise dans mes bras, sans la serrer trop fort. Comme si je tenais entre mes mains un vase craquelé sur le point de tomber en morceaux.

Elle m'a remerciée d'être venue. Elle avait l'air sincère. Je l'ai trouvée belle, ta maman, ma chouette. Même si elle semblait épuisée et que ses yeux paraissaient éteints. Mme Brochu et mes collègues sont venues se placer à côté de moi. On lui a montré nos mains, avec chacune un faux ongle au petit doigt. Elle a écarquillé les yeux. On lui a raconté que tu les avais apportés en cachette à l'école et que tu offrais des manucures à tes amies. Elle a souri à travers ses larmes. Si tu avais peur de te faire chicaner, ma belle, ne t'inquiète plus.

On marche jusqu'à la sortie. La file est toujours aussi longue. Audrey est avec la maman d'Émeline. Je croise Juliette et, plus loin, Louis. Je prends le signet qu'un homme me tend. Il y a la photo d'Émeline dessus.

Dehors, je respire un peu mieux. Ma mère cherche ses clés dans son sac à main. Un coup de vent emporte mon signet. Je cours dans le stationnement pour le rattraper.

— Ève ! Où tu t'en vas ? L'auto est de l'autre côté !

Mon signet tourbillonne dans les airs et atterrit sur le pare-brise d'une voiture. J'étire le bras pour le saisir, mais il s'envole à nouveau, tombe sur l'asphalte. Je me précipite pour le ramasser. Il roule plus loin. Quelques culbutes et je le tiens enfin. Je me relève et brandis le signet dans les airs.

— Émeline ! Je m'excuse ! Si tu savais comme je regrette… J'ai jamais voulu que tu meures ! J'aimerais tellement ça revenir en arrière…

Ma voix n'est qu'un chuchotement. Je ne sais pas si Émeline m'entend. Mais je continue :

— Oui, c'est vrai, j'étais fâchée. Tu m'as laissée seule avec tout le travail. Je pensais que tu faisais semblant d'avoir mal à la tête. Si j'avais su, je t'aurais jamais dit ça. J'ai été méchante. Pardonne-moi, Émeline, pardonne-moi…

Des sanglots cherchent à remonter le long de ma gorge.

— Ève ! J'attendrai pas ici toute la soirée !

Je scrute le ciel, comme si Émeline allait me répondre, puis je cours rejoindre ma mère.

Mardi 4 décembre (suite)

Ta grand-mère m'a dit que tu avais dormi en rentrant de l'école. Chez ton père, après, tu n'as pas voulu manger, tu es retournée te coucher. Est-ce que tu as eu peur, mon cœur, lorsque la mort s'est approchée? Est-ce que tu dormais vraiment?

J'ai besoin d'imaginer que la mort est venue te chercher pendant ton sommeil. Qu'elle t'a prise doucement dans ses bras, comme on berce un enfant, pour ne pas t'effrayer.

Ma mère tient le volant. Je regarde les commerces qui défilent, la station-service au coin du boulevard, les arbres aux branches nues, le dépanneur avec son affiche de bières, les lumières de Noël qui, déjà, illuminent certaines maisons. Émeline est morte et rien n'a changé.

À la télévision, la mort ressemble à un appartement qui brûle, un quartier bombardé, une voiture écrabouillée au bord de l'autoroute, un enfant au ventre gonflé, incapable de chasser une mouche de son visage. Ici, la mort ne ressemble à rien. Un signet sur lequel Émeline sourit. Je le retourne. « À la mémoire d'Émeline Gagnon, décédée à l'âge de neuf ans. »

— Tu veux qu'on arrête prendre un dessert au Tim ?

Ma mère me jette un coup d'œil. Je secoue la tête et appuie sur le bouton de la radio. Je mets quelques secondes à reconnaître la chanson. Un frisson me parcourt, des pieds à la tête. « *Je veux aller là où le soleil brille. Quelque part où la chaleur m'enivre.* »

C'est la chanson d'Éli et Papillon, qu'Émeline adorait chanter à tue-tête.

CHAPITRE HUIT

– Chacun s'éloigne –

Chaque jour, quand j'entre dans la classe, le pupitre vide d'Émeline me rappelle que je suis vivante et pas elle. Autour, l'espace s'agrandit. Chacun s'éloigne. Maintenant, presque plus personne ne parle d'elle. Audrey a libéré son casier pour ranger les jeux extérieurs qui ne servent plus : ballons, craies et cordes à danser.

Anne-Sophie et les filles de sa *gang* ont perdu leurs faux ongles. À la récréation, elles pratiquent une chorégraphie de danse à l'agora pour le spectacle amateur de Noël. Chloé joue au ballon-poire malgré le froid et ses doigts gercés. Moi, je me promène au fond de la cour, les mains dans les poches. Je n'ai pas envie de jouer. Parfois, près des balançoires ou sur le terrain de soccer, je reconnais Émeline, de dos, qui sautille. Mon cœur se met à battre très vite. Quand la fille se retourne, je me rends compte que ce n'est pas Émeline.

Mercredi 12 décembre

Depuis ton départ, plusieurs de tes compagnons me demandent comment va Thomas. J'aimerais les rassurer, leur dire qu'il va mieux, mais je n'en ai aucune idée. Je n'ose pas prendre de ses nouvelles. J'ai trop peur qu'elles soient mauvaises.

Je vais trouver le courage bientôt. C'est promis, ma chouette.

— Ève, tu veux bien rester pendant la récréation ? J'ai besoin d'aide pour distribuer les travaux.

— OK.

Pendant que la majorité des élèves se précipitent à leurs casiers, je me dirige vers la grande table derrière le bureau d'Audrey. Je prends une première pile. Des examens de maths. Je circule entre les pupitres et je les dépose à la bonne adresse, comme si j'étais livreuse de journaux. Audrey s'est assise à son bureau pour corriger.

— Je ne te vois plus beaucoup jouer avec Chloé… Vous vous êtes chicanées ?

Je stoppe net.

— Nnnon.

Pourquoi elle me demande ça ? Je vois Audrey déposer son crayon, s'approcher de moi lentement. Elle appuie une fesse sur le pupitre de Camille, me regarde attentivement, les mains croisées sur la cuisse.

— J'ai l'impression que tu t'isoles, depuis la mort d'Émeline…

J'ai envie de me boucher les oreilles avec les doigts et de me mettre à chanter « tadadada-dada… ». Comme je le fais avec mon frère quand je ne veux plus l'entendre. Audrey continue :

— C'est difficile, pour toi, qu'elle soit… partie ?

Silence complet.

— Tu sais… avoir du plaisir, rire, t'amuser, ça ne veut pas dire que tu l'oublies…

Sa voix est très douce. Ses yeux aussi. On dirait que quelqu'un plante des aiguilles au travers de ma gorge.

— Tu as une belle sensibilité, Ève. C'est précieux. Mais ça peut te rendre fragile, parfois. C'est important de pouvoir te confier. Tu sais que tu peux me parler, si tu veux…

Un instant, je pense tout lui raconter. Et puis, non. C'est impossible. Je ne pourrai jamais dire ça à personne.

Jeudi 13 décembre

La première neige est tombée pendant la
nuit. Tu as vu ça, ma chouette ? Disparues la
grisaille, la saleté, les feuilles mortes. C'est si
joli ! On dirait du sucre à glacer.

Les nouvelles salopettes d'hiver
froufroutaient dans les corridors. Partout, des
sourires radieux. Soudain, j'ai annoncé à tes
compagnons de classe qu'on allait jouer
dehors. Des exclamations de joie ont fusé
près des casiers. J'ai ignoré le regard
désapprobateur de Mme Brochu. De toute
façon, il ne m'impressionne plus. Depuis qu'elle
nous a collé des faux ongles en voiture, je sais
que son air bête n'est qu'une façade. Derrière,

elle est aussi douce que le duvet d'oie qui recouvre le sol.

Nous avons poussé les portes en riant et sautillant, comme tu le faisais si souvent. Et tu sais qui est venu nous rejoindre, peu après ? Mme Brochu en personne, avec ses élèves ! Merci, ma belle Émeline. Sans toi, je n'aurais pas osé balayer du revers de la main les propriétés des polygones, me rapprocher de la terrible Mme Brochette (tu croyais que je ne savais pas comment vous la surnommez ?) ni trouver le courage d'appeler la maman de Thomas.

P.-S. As-tu vu nos anges dans la neige, ma puce ?

Ce matin, Audrey semble décidée à ramener la bonne humeur dans la classe. Elle commence par nous donner des nouvelles de Thomas. Elle nous assure qu'il va bien, qu'il a pris du poids depuis la fin de sa radiothérapie, qu'il a débuté ses traitements de chimiothérapie, que ça va empêcher le cancer de revenir. Elle ouvre et ferme les mains entre chaque phrase, comme si elle lançait des poignées d'étincelles. J'ignore si c'est vrai ou si elle dit ça juste pour nous rassurer. Il faudrait que je le voie pour le savoir.

Après, elle propose de lui préparer une vidéo pour Noël. Elle va nous filmer, faire un montage avec les séquences. Elle gesticule en nous exposant son projet, plie les genoux, ouvre les bras. On dirait une *cheerleader* qui veut absolument remonter le moral de son équipe.

— Avez-vous des idées ?

Je voudrais l'aider, mais rien ne me vient en tête. C'est Anne-Sophie qui lève la main.

— On pourrait peut-être faire notre numéro de danse…

— Oui !

La réponse d'Audrey est enthousiaste. Les idées se mettent ensuite à pleuvoir. Tout le monde parle en même temps.

— Je pourrais faire un numéro d'humour. Raconter la blague de…

— Je connais un tour de magie…

— On pourrait se déguiser et…

Je les écoute, la tête vide. C'est quoi, mon talent ? Épeler sans faute les mots de la liste de vocabulaire ? Beurk ! Et inutile de demander à ma mère de m'inscrire à des cours de guitare ou d'apprendre à jongler avec des assiettes de pâté chinois. Noël est dans dix jours !

Comme si elle lisait dans mes pensées, Audrey ajoute :

— Vous pouvez aussi lui transmettre un message d'encouragement, lui dire que vous vous ennuyez, que vous avez hâte qu'il revienne.

Ouais.

Vendredi 14 décembre

L'atmosphère dans la classe a changé. Tes compagnons sont excités par mon idée. Et moi aussi. On avait besoin d'un projet rassembleur. J'espère que notre surprise fera plaisir à Thomas. Dis... tu veilles sur ta maman, d'accord? Ce sera son premier Noël sans toi, mon cœur.

Ma mère se tient debout à côté de mon lit, les poings sur les hanches.

— Maman… je peux PAS manquer l'école !

— Ève… tu fais 39 degrés de fièvre !

Je me redresse contre mon oreiller.

— Je vais prendre des Tylenol. Ça va aller. Audrey nous filme aujourd'hui.

Ma mère brandit le thermomètre sous mon nez.

— T'iras pas à l'école malade de même ! As-tu pensé aux autres ?

— Je vais faire attention…

Je déteste son air. Comme si tout ce que je dis n'a aucun bon sens.

— Toi, quand tu as quelque chose en tête…

Elle retourne à la salle de bain, revient avec du sirop et un verre d'eau. J'avale en grimaçant. Pousse les couvertures et me lève. Ça tourne.

— Maman…

— J'ai déjà appelé ton grand-père. Il va pouvoir veiller sur toi, aujourd'hui. La priorité, Ève, c'est de te soigner. Ça ira peut-être mieux demain.

Elle tourne les talons, convaincue d'agir pour mon bien. Je me laisse tomber sur mon oreiller, complètement découragée. J'ai consacré ma fin de semaine à écrire une histoire pour rien !

Je passe presque toute la semaine au lit. J'ai froid, j'ai chaud, je grelotte. J'avale de la soupe Lipton à petites lampées. Je reste couchée devant la télé. Deux animatrices parlent du ronflement. Je n'ai même pas la force de changer de chaîne.

Quand j'ai enfin la permission de retourner à l'école, évidemment, le tournage est terminé.

— C'était super *hot* ! À la fin de notre danse, on avait chacune une lettre géante en carton dans les mains. On s'est retournées en même temps et ça formait le prénom de Thomas. *Cool*, hein ?

Je me sens exclue. Je regarde Anne-Sophie et Camille s'éloigner dans leurs jaquettes identiques de chiens à gros yeux. La journée avant les vacances de Noël, tout le monde vient à l'école en pyjama. Je prends une bouchée de ma chocolatine. Un peu partout dans la classe, des groupes s'amusent avec des tablettes électroniques ou des jeux de société. Momo se traîne les pieds dans ses pantoufles de requins en peluche.

Je ne sais pas si c'est parce que j'ai manqué quatre jours d'école, mais j'ai l'impression de ne plus faire partie du groupe. Je peux voir les élèves de la classe comme au travers d'une vitre sans tain, mais eux ne me voient pas. Ils ne m'entendent pas non plus. Je me demande si c'est comme ça qu'on se sent quand on est mort.

CHAPITRE NEUF

– Les vacances de Noël –

À la maison, j'essaie d'être gentille. Je plie les vêtements qui sortent de la sécheuse, vide le lave-vaisselle sans qu'on me le demande, joue au ninja avec mon frère. J'accepte même de lui prêter ma collection de tortues. Dans la cuisine, ma mère s'active. Tartes, tourtières, ragoût de boulettes, sucre à la crème. On dirait qu'elle veut préparer en quelques jours tout ce qu'elle n'a jamais le temps de cuisiner durant l'année.

— Ève ! Tu veux aller me chercher du sucre dans la réserve, en bas ?

— Oui, maman !

J'abandonne mon sabre sur le tapis du salon, esquive le super coup de pied de Jacob le ninja et m'élance vers le sous-sol. Je me dis que, si j'en fais assez, ma mère va s'arrêter et me lancer : « T'es donc ben fine, ma grande. » Alors, peut-être que la noirceur à l'intérieur de moi va s'effacer ? Un peu ?

Mercredi 26 décembre

Oh! Émeline! Je n'arrive pas à le croire!
Ce n'est pas possible. Je vais avoir un bébé!
Tu te rends compte? Je suis enceinte!
J'attendais ce moment depuis si longtemps.
J'avais presque perdu espoir. Et ce miracle se
produit maintenant, alors que tu viens à peine
de mourir. C'est tellement étrange.

Je ne l'ai encore dit à personne. Tu peux
garder le secret, ma chouette? Je vais
attendre avant de l'annoncer à tes
compagnons.

En bas, les bruits familiers du matin. Je me force à rester couchée. Quelqu'un pousse doucement la porte de ma chambre, se pointe le bout du nez. Mon frère ! Je referme aussitôt les yeux. L'entends descendre quatre à quatre les marches. Mes orteils s'agitent sous les couvertures. Ça leur en prend du temps ! Des pas feutrés montent l'escalier. Ma porte s'ouvre d'un coup et mon frère bondit dans mon lit.

— Bonne fête, Ève !

Il passe les bras autour de mon cou et serre jusqu'à m'étrangler.

— OK, OK, c'est bon, Jacob ! T'as vraiment des muscles de ninja !

À genoux sur mon lit, il sautille pendant que mon père attend pour déposer un plateau de petit déjeuner.

— Calme-toi, Jacob !

L'un après l'autre, mes parents m'embrassent sur les joues.

— Bonne fête, ma grande !

— On peut lui donner maintenant ?

Mon frère brandit sous mes yeux un paquet enveloppé de papier argenté.

— On va commencer par la laisser manger…

Sur le plateau, une chocolatine toute chaude et un grand bol de lait au chocolat garni de crème fouettée. Mmm… Je croque la pâte feuilletée, essuie mes doigts graisseux sur mon pyjama et tends les bras vers mon frère, trop heureux de me confier son cadeau. Je le secoue doucement. Souris en regardant mes parents.

— Est-ce que… ?

— Ouvre-le !

Je passe délicatement l'index sous un rabat de l'emballage. Oui, oui, c'est bien ce que je pensais ! Maintenant, je déchire le papier, pressée de voir apparaître ma boîte de crayons Prismacolor.

— Une boîte de soixante-douze ? Ben voyons donc !

Je suis tellement contente ! J'ai envie de dessiner tout de suite.

— Tu ne lis pas ta carte ? me demande ma mère.

Je ramasse l'enveloppe mauve sur mon édredon, sors la carte. Aussitôt, mon cœur se crispe. Sur le dessus, entouré d'étoiles, de confettis et d'oiseaux avec des chapeaux de fête, le nombre dix scintille. Je pense à Émeline. Qui n'aura jamais dix ans.

CHAPITRE DIX

– Tu vas revenir ? –

François, le concierge, traverse la classe avec son diable. Un énorme trousseau de clés accroché à sa ceinture de pantalon tinte à chacun de ses pas. Un peu plus tôt ce matin, Audrey nous avait prévenus :

— On a besoin du pupitre d'Émeline pour un nouvel élève.

Je ne sais pas si on va lui dire, à ce nouvel élève. J'imagine que non. Moi, je ne voudrais jamais m'asseoir à son bureau. J'aurais peur qu'il me porte malheur.

François s'arrête près de l'armoire grise. Il soulève le pupitre d'Émeline et le place à l'envers, sur son diable. Maxime se lève. Sans que personne lui demande, il saisit la chaise. Il emboîte le pas au concierge en tenant le siège droit devant lui, le visage sérieux. J'imagine Émeline, assise sur sa chaise, en train de saluer les élèves comme une reine de carnaval, avec un sourire figé qui montre ses dents.

Après qu'ils sont sortis tous les deux, Yannick se plante en face d'Audrey, un crayon tendu devant lui :

— Qu'est-ce que tu vois, Audrey ?

— Un crayon.

— Je suis bien caché, hein ?

Tout le monde se met à rire. Pas moi. Si on avait gardé la place d'Émeline, personne n'oserait rigoler comme ça. Je regarde Juliette, Chloé, Anne-Sophie, Louis, tous les autres. Ils ont l'air soulagés. Comme si on venait de leur enlever une écharde du pied.

Lundi 7 janvier

Émeline! J'avais complètement oublié ce livre-là! Je viens de le trouver, dans le fouillis de ton pupitre que j'ai vidé tantôt. Un livre informatif.

Tu te souviens quand je l'avais présenté, en septembre, parmi les nouveautés? Tu t'étais jetée dessus pour être la première à l'emprunter. *La vie, la mort: toutes les questions que tu te poses.*

Mes doigts tremblaient lorsque je l'ai soulevé. J'ai tourné les pages lentement. «Pourquoi on meurt?», «À quel âge on meurt?», «Où on va quand on est mort?».

Est-ce que tu l'as pressenti, quelque part au fond de toi ? Est-ce que, sans le savoir vraiment, tu as voulu te préparer à mourir ?

On a changé les responsabilités dans la classe. C'est Maxime, maintenant, qui s'occupe de vider le bac de récupération. Moi, je fais les commissions. C'est pour ça qu'Audrey m'a demandé de rester un peu, aujourd'hui, en finissant l'école.

— Tiens, ma grande. Tu la remettras au secrétariat en t'en allant.

Je saisis l'enveloppe qu'Audrey me tend, la glisse sur la pile de cahiers que je tiens sous mon bras.

— OK. Bonne fin de semaine !

— À toi aussi !

J'ouvre mon casier, reprends l'enveloppe pour la déposer sur la tablette du haut et remarque le prénom dessus : Thomas. Ce sont les travaux pour Thomas !

Je ne sais pas ce qui me prend. Je reviens sur mes pas, passe la tête par la porte ouverte de la classe.

— Audrey… si tu veux, je peux aller porter l'enveloppe chez Thomas.

Audrey détache les yeux de l'écran de son ordinateur. Me fixe d'un drôle d'air. J'ajoute très vite :

— C'est pas loin de chez nous.

Ce n'est pas vrai. Pas vrai du tout. J'habite de l'autre côté du parc, dans le nouveau quartier. Audrey se penche à nouveau vers son écran. Elle va sûrement vérifier mon adresse. Découvrir que j'ai menti. Qu'est-ce que je viens de faire encore ?

— C'est peut-être une bonne idée… Tu pourrais lui expliquer les travaux…

Audrey demeure songeuse. Puis, elle donne une tape sur son bureau avec le plat de la main.

— Laisse-moi téléphoner à sa mère.

Je grimpe les marches du perron. Sur la porte, une couronne de Noël. J'approche mon poing, suspends mon geste. Mon cœur cogne à toute vitesse. *Du calme, du calme !* Je frappe. Deux coups discrets. J'attends. J'essaie de percevoir un mouvement de l'autre côté. Rien. Je me demande si je dois frapper à nouveau, quand j'entends le clic de la poignée.

— C'est toi, Ève ? Entre, Thomas est au salon.

Sa maman s'efface pour me laisser passer. Son sourire est invitant.

— Enlève tes bottes et donne-moi ton manteau.

Je m'exécute, mal à l'aise. Sa mère me conduit vers le salon et me fait signe d'avancer pendant qu'elle court répondre au téléphone.

J'ai un choc en voyant Thomas. Il a changé. Ses yeux paraissent immenses. En plein centre. Je veux dire que, sans cheveux, le crâne rasé, on réalise que les yeux sont vraiment situés au milieu de la tête. Sa peau brune est tachée par endroits. Des plaques roses, comme si on avait gratté la croûte sur des bobos.

— Je t'ai apporté tes travaux.

J'espère avoir pris un ton naturel. J'essaie de ne pas trop fixer le tube collé sur son nez. Me concentrer sur ses yeux bruns. Toujours aussi beaux. Le tube entre par l'une de ses narines. Il y a un liquide jaunâtre à l'intérieur.

— Merci.

Le tube est relié à un appareil qui se met soudain à clignoter. Un moteur s'enclenche. On dirait un cycle de lavage qui commence.

— J'ai assez hâte d'être débarrassé de cette maudite machine ! J'haïs le bruit que ça fait. La nuit, ça m'empêche de dormir.

— Ça sert à quoi ?

— C'est pour me nourrir, pour pas que je perde de poids. Ça va directement dans mon estomac.

— On dirait de la crème de banane. Moi aussi, j'haïs ça.

Thomas rit. Je ne cherchais même pas à être drôle.

— En fait, ça goûte rien.

— C'est sûr qu'on n'a pas beaucoup de papilles gustatives dans les narines.

Thomas rit encore.

— T'es drôle… Je pensais que t'étais une fille sérieuse…

— C'est ce que je pensais moi aussi.

Cette fois, on rigole ensemble. Sa maman entre dans le salon.

— Je vois qu'on s'amuse bien, ici. Tu veux boire quelque chose, Ève ?

— Non, non, merci.

— Ève voudrait goûter à la crème de banane.

Je lui fais une grimace. Ses yeux fatigués, un bref instant, pétillent. Je me sens légère. Mais le moment passe. Je suis toujours plantée debout, au milieu du salon. Sa mère est repartie en direction de la cuisine.

— Tu veux que je t'explique les travaux ?

— Ça va. Ma grand-mère vient travailler avec moi, l'après-midi, quand je suis en forme. Elle était enseignante avant.

— Ah bon…

Je m'apprête à partir. Murmure, d'un souffle :

— T'es au courant pour… Émeline ?

Thomas hoche la tête. Garde les yeux baissés. Je me mords les lèvres. Me balance d'une jambe à l'autre.

— J'étais à l'hôpital…

— Ah…

Silence. Je n'aurais jamais dû dire ça.

— Bon, ben… je vais y aller.

— Tu vas revenir ?

Mon cœur bondit. J'essaie de le retenir. Peut-être que j'ai mal compris sa question ?

— Euh… oui.

— Super !

Cette fois, je n'arrive pas à dissimuler la joie qui explose dans ma poitrine. Je lui adresse un immense sourire. Dans l'entrée, sa maman me remercie.

— C'est vraiment gentil à toi d'être venue.

— Y a pas de quoi !

Je me dépêche de rentrer. Je galope le long du trottoir, file devant les maisons toutes pareilles. De petits ronds de vapeur s'échappent de ma bouche et s'évanouissent dans l'air froid. Je pique à travers le parc, rejoins le boulevard déjà éclairé par les lampadaires. J'arrive, j'arrive. J'essaie de me glisser en douce dans la maison, filer discrètement jusqu'à ma chambre, mais la voix de ma mère m'intercepte de la cuisine :

— As-tu vu l'heure, Ève ?

Je me fige. Je n'ai pas l'habitude de désobéir. Quand j'arrive de l'école, je téléphone à ma mère. Jacob, lui, va au service de garde. Je suspends avec précaution ma salopette et mon manteau sur les crochets dans l'entrée. J'aligne mes bottes à côté de celles de mon frère. Je réfléchis. Et puis soudain, comme un ballon qu'on laisse s'échapper, je lance :

— Tu peux me donner n'importe quelle punition, ça me dérange pas.

C'est vrai. Je flotte sur un nuage. J'entends encore Thomas me demander : « Tu vas revenir ? »

CHAPITRE ONZE

– Un vrai superhéros –

Ma mère ne m'a pas chicanée. Ni menacée de m'inscrire au service de garde. Le lendemain de ma visite chez Thomas, elle m'a seulement demandé, pendant que je mangeais mon bol de Rice Krispies :

— La prochaine fois, Ève, pense à m'avertir. Je m'inquiéterai pas pour rien !

Toute la semaine, je suis fébrile. Je dessine des soleils dans mon agenda sous la journée de vendredi. J'observe Yannick lancer des morceaux de gomme à effacer sur Frédérique. Elle se retourne sur sa chaise, furieuse. Il rigole. Recommence. Sa réserve de gommes à effacer semble infinie.

Vendredi est interminable. Audrey prononce chaque mot de la dictée au ralenti. Elle répète. Relit encore. Quand la cloche du départ sonne enfin, je file rue Laforest, la précieuse enveloppe à l'abri dans mon sac à dos.

La maman de Thomas m'accueille avec le même sourire.

— Tu connais le chemin ?

Au salon, Thomas écoute de la musique, les yeux à demi fermés. Je pose l'enveloppe contenant ses travaux sur le pouf devant lui.

— T'aimes Bruno Mars ?

Il me tend un de ses écouteurs et me fait une place sur le sofa à côté de lui. Je contourne son poteau à roulettes et sa machine aux bananes. Je ne sais pas où m'installer. Sur le sofa bien sûr, mais… si j'atterris trop près de lui, il va penser que je veux me coller. Trop loin, ce n'est pas mieux. Mon cerveau tourne en rond. Je me demande à quoi ça me sert d'avoir de bonnes notes à l'école si je ne suis même pas capable de faire quelque chose d'aussi simple que m'asseoir à côté de Thomas. Je le regarde marquer le rythme de la tête. Je suis encore debout. *Allez, Ève ! Fais un effort !* Je retiens mon souffle, me laisse tomber à quelques centimètres de lui.

— C'est bon, hein ?

Je n'en ai aucune idée, mais j'approuve d'un signe de tête. Tous mes sens sont concentrés sur mon bras gauche qui, à travers mon chandail, effleure celui de Thomas.

— Quand j'étais en radio, les techniciennes faisaient jouer Bruno Mars dans la salle.

— Tu faisais de la radio… ?

— Tu voudrais voir ?

Henrik, le papa de Thomas, vient d'entrer dans le salon. C'est lui qui a posé la question.

— Voir… ?

— Oui, j'ai pris des photos. Quand Thomas et sa sœur sont nés, je me suis donné comme projet de documenter leur vie en images. Lorsqu'on a appris que Thomas avait une tumeur, je me suis demandé si j'allais continuer. J'ai décidé que oui.

En disant ça, il déplace l'enveloppe sur le pouf, s'assoit devant nous et pitonne sur son portable. Le contraste entre lui et Thomas est frappant. Il a la peau brun foncé, presque noire. J'ai l'impression que celle de Thomas a pâli. Après un moment, son père tourne l'écran. Je vois Thomas, étendu sur une planche, le visage emprisonné sous un masque de Hulk. Le masque est vissé sur la planche.

— C'était tellement serré que je pouvais pas bouger du tout.

Deux femmes en habits bleus se préparent à le faire entrer dans le ventre d'une énorme machine. On dirait un vaisseau spatial. C'est effrayant.

— T'es un vrai superhéros…

Thomas sourit.

— Ce sont les techniciennes qui ont colorié mon masque. Elles m'avaient demandé de choisir mon héros préféré.

— Tu devais rester longtemps là-dedans ?

— Assez.

— Ça fait peur ?

Thomas hausse les épaules.

— Non… Mais une fois, c'était vraiment dégueulasse.

Il rigole en regardant son père.

— Je vomissais et je pouvais pas bouger. À cause de mon masque, le vomi s'aplatissait dans ma face.

Il place la main sur son visage en écartant les doigts.

— Ouache !

— Oui, c'était dégueulasse ! renchérit Thomas.

Encore une fois, il rigole. Sa bonne humeur est contagieuse. Je me détends. Son père me montre d'autres photos. Thomas, couché sur un lit d'hôpital, qui fixe son soluté, l'air découragé.

— C'est tellement long, surtout le vendredi ! Il faut que ma poche de chimio se vide, goutte par goutte, pour que j'aie le droit de rentrer chez moi.

Les images défilent. Thomas en fauteuil roulant dans son gros manteau d'hiver, la tête penchée sur l'épaule, endormi. Chez lui, couché en étoile sur le plancher.

— Il était tellement épuisé, en revenant de l'hôpital, qu'il s'est étendu dans l'entrée.

Thomas sourit.

— On lui a mis un coussin en dessous de la tête et on l'a laissé là.

Sur une autre photo, une simple planche de contreplaqué.

— C'est quoi ?

Thomas et son père se regardent en riant. Henrik m'explique :

— C'est une plate-forme qu'on peut glisser par-dessus les roulettes du poteau de soluté.

— Mon père me poussait à toute vitesse dans les corridors. On faisait des courses. C'était fou !

Sur l'écran, je vois tout ce que Thomas a traversé jusqu'à maintenant. C'est incroyable. Sur certaines photos, je lis la fatigue sur son visage. L'impuissance dans les yeux de sa mère. Une flamme de guerrier dans ceux de son père. Mais aussi quelque chose d'autre. Qui ne se décrit pas. De tellement vivant.

Je pars de chez Thomas, la gorge nouée.

En arrivant chez moi, je m'enferme dans ma chambre. Je sors la boîte de Prismacolor que j'ai reçue à Noël et je me mets à barbouiller. Des taches de couleur les unes à côté des autres. Remplir ma feuille. C'est tout ce qui compte. Je change de crayon, pèse de plus en plus fort. Les taches se superposent, les couleurs s'annulent, c'est n'importe quoi. Je me dis que je ne peux pas vraiment vouloir ça. Être malade. Assez malade pour que mes parents aient peur de me perdre. Qu'ils se penchent vers moi, inquiets, et me regardent avec tendresse.

Mercredi 30 janvier

Mon Dieu, Émeline ! C'est vrai ! Il y a un bébé dans mon ventre ! Enfin, pas tout à fait un bébé encore, plutôt un fœtus... J'ai entendu son cœur ! Ça bat si vite, le cœur d'un fœtus, mon ange.

Est-ce que tu crois que je serai une bonne maman ?

Chaque jour, juste avant l'heure de la récréation, l'interphone crache :

— En raison du froid et des risques d'engelure, la récréation aura lieu à l'intérieur.

Des cris de joie suivent cette annonce. Chloé joue maintenant avec Rosalie et Juliette. Elles déroulent le grand tapis de Twister sur le plancher de la classe et se contorsionnent en posant les mains et les pieds sur les ronds de couleur. Je les entends rire. Moi, je plie des feuilles de papier et découpe des flocons de neige en dentelle. Ils sont tous différents. Je les colle dans les fenêtres de la classe en attendant vendredi.

❄

La mère de Thomas se dépêche de me faire entrer. Je remarque que mon cœur bat presque normalement, aujourd'hui.

— Brrr… il fait encore froid.

— Oui, que je lui réponds à voix basse, comme elle. Thomas est là ?

— Oui. Mais il dort au salon.

— Ah…

J'essaie de ne pas paraître trop déçue. Sors l'enveloppe de mon sac à dos.

— … il va bien ?

— C'est difficile après la chimio. C'est son deuxième traitement.

— Hum… ben… vous lui direz…

— Réchauffe-toi encore un peu, ma belle, avant de partir.

— Maman ? Est-ce que c'est Ève ?

J'entre dans le salon, le cœur gonflé à l'hélium. « Est-ce que c'est Ève ? » Comme s'il m'attendait. En m'apercevant, Thomas se redresse sur le sofa. Sa mère replace les coussins derrière lui, chasse une poussière invisible sur son chandail de Superman. Je remarque que quelque chose a changé. Ça me prend quelques secondes avant de trouver.

— T'as plus ta machine !

— *Yesss !*

— Comment ça se fait ?

— Je pèse trente-six kilos !

Il semble tellement fier ! Je ne dois pas avoir l'air de comprendre parce que sa mère m'explique :

— Le médecin avait dit qu'il devait rester intubé pendant les traitements. Pour éviter qu'il perde encore du poids. Mais Thomas a insisté. Il lui a demandé : « Quel poids je dois avoir pour qu'on me l'enlève ? »

Sa mère le regarde, un sourire en coin.

— Son médecin ne pensait pas que ce serait possible. Il lui a quand même dit : « Trente-quatre kilos ».

— T'en as pris deux de plus !

— Je me suis forcé à manger en plus du gavage. Il a été obligé de m'enlever la machine !

Je serre les poings et les brandis devant lui en signe de victoire. Il est trop fort ! Thomas sourit. Sa mère ramasse une couverture en polar et nous laisse seuls. Je m'assois sur le pouf en face lui. Mes genoux frôlent les siens. Malaise. Je n'ose plus le regarder. Sur la table basse, j'aperçois une bouée de sauvetage : le jeu Opération.

— Tu veux qu'on fasse une partie ?

— OK.

Je m'assois par terre et on installe le jeu sur le pouf. Chacun à son tour, on prend les pinces et on essaie de retirer les organes du patient sans toucher les bords métalliques des plaies. Je réussis sans difficulté à enlever le cœur brisé et la cheville foulée. Thomas, lui, déclenche sans arrêt le *buzzer*.

— À cause de la radio, mes muscles ont perdu du tonus. Je dois faire des exercices avec mes mains.

J'ai envie de l'encourager. Quand vient mon tour, je prends les pinces et rate quelques coups. Les yeux de Thomas s'assombrissent.

— T'as pas besoin de me laisser des chances.

Il ramasse les pièces et les jette au fond de la boîte.

— T'es fâché ?

Il hausse les épaules.

— Je sais que tu veux être gentille. Les autres aussi font ça.

Sa voix devient plus aiguë.

— « Faut laisser des chances au pauvre Thomas, il a le cancer. » Ils pensent que je suis différent parce que j'ai le cancer. C'est pas vrai.

Thomas s'est adossé contre le sofa les bras croisés. Je me sens tellement mal. Je voudrais lui dire que je le trouve toujours aussi beau, fort et courageux. Même plus qu'avant ! Mais je ne suis pas capable. Je me lève lentement, prends la boîte de jeu et la replace sur la table basse. Je reste un moment à faire tourner ma bague autour de mon doigt.

— Je suis désolée…

— C'est pas grave.

Dehors, je donne des coups de pied dans les bancs de neige. Je fais revoler les morceaux de glace.

CHAPITRE DOUZE

– Trop faible –

Ma mère a accepté, sans discuter ni poser trop de questions, de me conduire à la boutique de jeux et passe-temps. Elle m'attend à la caisse en pitonnant sur son cellulaire. Je fais à nouveau le tour des allées. J'examine les boîtes de Lego, les modèles à coller, les figurines de Star Wars. Je m'arrête devant l'étagère de toutous. Prends un kangourou en costume de boxe. Il est mignon et je pourrais glisser un mot dans sa poche ventrale. « Je m'excuse, Thomas. C'est toi le plus fort. » Et puis, non. Je le repose sur la tablette. Qu'est-ce que je peux lui offrir pour me racheter ?

— Tu as choisi, Ève ?

— Oui, oui, maman.

J'agrippe un coffret qui contient tout le nécessaire pour fabriquer des bracelets d'amitié et je la rejoins près de la caisse.

Mercredi 13 février

Mon petit ange,

Ta maman est venue à l'école aujourd'hui avec ta grand-maman. Elles sont arrivées juste avant la récréation. Quand la cloche a sonné et que les corridors se sont remplis d'enfants grouillants de vie, je me suis dit qu'on ne devrait pas leur imposer ça. Ni l'une ni l'autre n'ont flanché. Elles m'ont suivie parmi la cohue. Je les ai trouvées si courageuses, mon cœur. Tu étais là pour les aider ?

Près de la classe, plusieurs élèves ont reconnu ta maman. Ils se sont précipités sur elle pour lui faire un câlin. Je me suis demandé, en la regardant au milieu de cette marée d'enfants, si c'était toi qu'elle pressait ainsi sur son cœur.

Après, nous sommes entrées dans la classe déserte. Je suis allée prendre la boîte sur la table derrière mon bureau. À l'intérieur, j'avais mis tout ce qui t'appartient. Je n'ai rien osé garder. Seulement notre cahier mauve, dans lequel je t'écris. Sur la boîte, Rosalie et Juliette ont tracé des cœurs dodus et ton nom en lettres ballon. Je l'ai déposée dans les bras de ta maman. Ses yeux se sont remplis d'eau. Les miens aussi. Les mots étaient inutiles.

Je suis allée les reconduire toutes les deux jusqu'à l'entrée de l'école. J'ai serré très fort ta maman dans mes bras en lui disant que je pensais à toi chaque jour. Elles sont reparties, la main de ta grand-maman posée sur l'épaule de ta mère.

Ce vendredi, c'est une adolescente en leggings et chandail de hockey qui m'ouvre la porte.

— Oui ?

— Heu… je viens voir Thomas…

Je sais qu'il a une sœur au secondaire, mais je ne l'avais jamais vue avant. Elle a les cheveux lisses et la peau plus foncée que celle de Thomas. Je sens qu'elle m'examine. Je ne suis pas sûre de passer le test.

— Y est pas là.

— Ah…

Je reste plantée sur le perron, l'air bête.

— Je vais lui dire que t'es passée…

— OK. Je m'appelle Ève.

— Je sais.

Elle se recule pour fermer la porte. Juste avant qu'elle la referme complètement, je demande, d'une voix hésitante :

— Il est où ?

La porte se rouvre. Elle me tire par le bras et me fait entrer. Le froid s'engouffre avec moi et elle frissonne.

— Il est à l'hôpital.

— …

— Il y a des complications… Il fait de la fièvre.

— Il fait de la fièvre ?

— Oui.

— Ah…

— Son système immunitaire est trop faible pour combattre un virus. Il doit recevoir des antibiotiques.

Je ne comprends pas vraiment. Est-ce que c'est grave ? Je n'ose pas lui poser la question. Je sors de mon sac le coffret pour fabriquer des bracelets d'amitié.

— Pour Thomas.

Elle a l'air surprise. Je me sens idiote. Qui offrirait ça à un gars, hein ?

— OK. Je vais lui donner.

Je me retrouve dehors, sur le perron, complètement perdue. Je ne sais pas comment je me rends jusqu'au parc. Je marche sur la croûte de neige durcie. Pose mes bottes avec précaution l'une après l'autre. Ne pas couler. Rester au-dessus. Je suis presque au milieu du parc. Je lève les yeux vers le ciel. De gros flocons mous s'accrochent à mes cils. Tout s'embrouille. La surface cède sous mon poids. Mes pieds s'enfoncent, mes genoux plient. À l'intérieur de moi, je hurle : « Émeline ! Émeline ! Est-ce que tu m'entends ? Thomas ne peut pas mourir. Il ne peut pas mourir ! Comprends-tu ? C'est assez ! »

Après, j'enlève une mitaine, m'essuie les yeux. Je me relève.

— Ève ! Sors de ta chambre et va prendre l'air un peu !

— Ça me tente pas, maman !

— La semaine de relâche, c'est fait pour jouer dehors !

— …

— Pourquoi t'appelles pas Chloé ? Vous pourriez vous amuser ensemble.

— Non, non, c'est bon. Je vais y aller !

Je repousse ma chaise, ferme ma boîte de crayons Prismacolor et descends enfiler ma salopette d'hiver en bougonnant. Dehors, j'attrape une pelle et je me mets à creuser un trou dans le banc de neige devant la maison. Mon frère s'amuse à l'escalader et à se jeter en bas en poussant des cris sauvages. Je ne m'occupe pas de lui. Je creuse sans penser à rien. Je lance la neige très haut. Elle tombe comme une pluie de météorites. Mon tunnel s'enfonce petit à petit sous la butte.

J'allonge la pelle au bout de mes bras, elle ne peut pas aller plus loin. Je la plante à l'entrée de ma tanière. Je me glisse à l'intérieur en rampant. L'air est plus froid. Mes joues picotent. Au fond, je me tourne sur le dos. Un silence doux comme de la ouate. Je reste allongée. Immobile. Je pense à Thomas. Je m'inquiète pour lui.

CHAPITRE TREIZE

– Une grenouille en peluche –

Mardi 12 mars

Au retour de la semaine de relâche, une surprise m'attendait sur mon bureau. Tu le savais, mon ange ? Ta grand-maman est venue porter un sac-cadeau à mon intention. La secrétaire me l'a dit. À l'intérieur, j'ai trouvé un foulard éternité que ta maman a tricoté elle-même. Il est en laine grise, avec de grandes mailles entre lesquelles glisser les doigts.

Je garde ton foulard autour de mon cou, du matin au soir, à l'intérieur comme à l'extérieur. Je dis « ton foulard » parce que j'ai l'impression, quand je le porte, de sentir tes bras m'enserrer doucement pour me faire un câlin.

Ta maman m'a aussi laissé un cadeau pour Ève. Je vais trouver le bon moment pour le lui offrir, promis.

Sur le seuil de la classe, miss Laeticia claque des mains. Les élèves s'alignent devant elle pour se rendre au local d'anglais.

— *OK, boys and girls ! Remember : you will need your colored pencils today.*

Rosalie court à son pupitre chercher son étui à crayons. Momo fait la même chose en marchant tranquillement.

— *Let's go, boys and girls !*

Audrey s'approche du rang et me prend à part.

— Tu peux rester, Ève ? J'ai quelque chose pour toi…

Pendant que les élèves quittent la classe, Audrey retourne à son bureau. Elle revient vers moi avec un toutou de grenouille.

— La maman d'Émeline m'a demandé de te le remettre en souvenir.

Mon cœur s'arrête. Audrey tient la peluche dans ses bras comme si c'était un bébé. Le dos appuyé contre sa poitrine, les pattes pendantes. Je fixe les orteils verts qui dépassent des gougounes roses, les yeux à demi fermés, le large sourire. Comme celui d'Émeline. Je recule. Secoue la tête. Je ne peux pas. Je ne peux pas.

Je m'enfuis vers mon casier, ouvre la porte, me réfugie au fond. En-dedans de moi, ça craque de partout. Je suis assise sur mes bottes, le dos appuyé contre ma salopette humide. J'entends Audrey qui s'approche, puis fait demi-tour. Je la vois revenir avec un chiffon rose. Elle essuie le plancher devant mon casier. S'assoit par terre.

— Qu'est-ce qui se passe, Ève ?

Rien, rien, rien.

— Aide-moi à comprendre…

Ça remonte soudain. La boue, la vase, la saleté accumulée en dedans depuis la mort d'Émeline. Un goût horrible dans la bouche.

— Dis-moi, Ève, ce qui ne va pas…

Soudain, un barrage cède.

— Si je lui avais pas crié qu'elle était achalante, que personne voulait être en équipe avec elle,

elle serait pas MORTE ! Elle serait encore là ! C'est de ma faute. Tout ça, c'est de ma faute !

Maintenant, je pleure. Des larmes entrecoupées de sanglots bruyants. Audrey me flatte les genoux. Je n'arrête pas de pleurer.

— Viens, ma chouette.

Audrey me tend la main. Je me déplie lentement. Mes jambes sont en papier.

— Tu n'es pas obligée d'aller au cours d'anglais, ma grande. Viens avec moi dans la classe.

Jeudi 14 mars

Mon Dieu, Émeline ! Moi qui pensais qu'on reprenait le dessus, qu'on commençait à s'habituer à ton absence. Momo va de moins en moins au bureau de Françoise. Ton prénom n'est plus entouré de silence ni de regards paniqués. Il trouve doucement sa place dans nos échanges.

Mais Ève ! Ève ! Toujours si tranquille, à son affaire... Je n'avais pas vu qu'elle continuait à s'enfoncer. C'est fou ce qui peut se passer dans la tête d'un enfant ! Elle pense que c'est de sa faute, si tu es partie... Pauvre chouette !

J'ai essayé de lui faire comprendre qu'elle n'avait rien à voir avec ton décès. Que votre

chicane, à ce moment-là, n'était qu'un
malheureux hasard. Je sais que tu ne lui en
veux pas. Tu ne restes jamais fâchée très
longtemps. Avec toi, le vent tourne rapidement.

Je me sens tellement triste, Émeline. Je
croise les bras autour de mes épaules et
blottis ma tête contre ton foulard gris.
J'essaie de trouver un peu de chaleur.

Dans mon ventre, on dirait du sable mouvant. Je m'enfonce, les bras levés au-dessus de la tête. En avant de la classe, Audrey me regarde avec un sourire doux. Je remonte. Je m'agrippe à mon crayon et ajoute une réponse sur ma feuille de conjugaison.

À la récréation, Chloé construit un fort avec Rosalie et Juliette. Je les observe de loin. Elles se mettent à deux pour transporter des blocs de neige. Je m'approche. Chloé essaie de dégager un bloc pris dans la glace. Je me place de l'autre côté, donne des coups de pied à la base. Puis, je m'accroupis devant elle.

— À trois, on lève. OK? Un, deux, trois!

C'est lourd! On avance en faisant de tout petits pas de côté.

Audrey termine de rassembler les travaux pour Thomas.

— J'ai corrigé sa situation d'écriture. C'est celle d'avant Noël, mais tu la lui donneras quand même.

Elle la glisse dans l'enveloppe.

— Audrey… t'es sûre que Thomas veut que j'aille chez lui ?

— Oui, j'ai parlé à sa mère, tantôt. Mais… je peux la rappeler et lui demander de passer au secrétariat, si tu préfères.

— Non, non. C'est correct.

Je ne l'ai pas vu depuis trop longtemps. Dans mon ventre, le sable mouvant s'est transformé en cailloux. Ça tiraille. Audrey se retourne et pose la main sur mon épaule.

— Je vais l'annoncer bientôt aux autres, mais je le confie à toi, Ève…, chuchote Audrey, les yeux brillants. Je vais avoir un bébé.

Elle retire la main de mon épaule et la place sur son ventre, les doigts écartés.

— Un bébé ?

— Oui, ma grande. La vie est incroyable. Elle nous pousse vers l'avant…

Elle s'appuie contre son bureau et prend mes mains entre les siennes.

— Trouve une façon de lui demander pardon…
à Émeline. Ça va t'aider à te sentir mieux, Ève. Tu
peux lui écrire une lettre, si tu veux. Moi, quand
j'ai de la peine ou que je m'ennuie d'elle, je lui
écris.

— Dans le cahier mauve ?

Audrey me lâche les mains, surprise.

— Tu es au courant ?

— Oui. Émeline me l'avait montré.

— J'aurai aimé lui écrire plus, avant…

Audrey soupire, les yeux tristes, soudain. Puis,
elle se retourne et fouille dans le grand tiroir de son
bureau. En ressort la grenouille verte en peluche,
avec des gougounes roses au bout des pattes.

— Prends-la, Ève. Parle-lui comme si tu parlais
à Émeline…

J'ai placé la grenouille dans mon sac d'école,
contre l'enveloppe. La tête sortie, pour lui permettre de voir autour avec ses gros yeux à demi

fermés. Je l'appuie maintenant contre le banc dans l'entrée chez Thomas.

— Il est dans la cuisine, m'indique sa mère avec un sourire fatigué.

Thomas est debout derrière le comptoir. Avec une spatule, il retire des galettes d'une plaque à pâtisserie et les fait glisser dans une assiette. Il porte une tuque rayée dans les tons de vert qui rend ses yeux bruns encore plus beaux.

— T'en veux ? C'est moi qui les ai faites.

— Tu cuisines ?

Je m'approche timidement du comptoir et pose une fesse sur un tabouret.

— Mes parents pensent que je vais manger davantage si c'est moi qui cuisine.

Il place l'assiette devant moi. Les galettes ont deux yeux et une grande bouche en Smarties.

— Et puis… ça m'occupe. En passant…

Sur ces mots, il disparaît dans le corridor. Je reste en tête à tête avec les bonshommes sourire. Il revient peu après, tenant devant lui un bracelet rouge, bleu et blanc qu'il étale sur le comptoir.

— Qu'est-ce que t'en penses ?

Le bracelet est franchement raté. Un ramassis de nœuds sans aucun motif. Je cherche mes mots.

— Ben… c'est… que… Je pense que t'es meilleur en cuisine !

Il éclate de rire. Je ris aussi. Je n'arrive pas à croire que, moi, je lui ai dit ça. Thomas va s'asseoir à la table. Je le suis avec le bracelet et mon reste de galette, le cœur soudainement plus léger.

— Tu veux que je te montre comment faire ? que je lui demande en poussant le bracelet vers lui.

— Non. Une autre fois.

Il s'appuie la tête contre la main. Il est tellement beau ! J'aurais envie de déposer un baiser sur sa joue. Je ramasse les miettes que j'ai laissées tomber sur la table.

— Ça va ?

— Humm.

Je vois bien que non.

— Tu veux que je m'en aille ? Tu veux te reposer ?

— Non, non, c'est pas ça. C'est juste que... ben... je retourne à l'hôpital dans deux jours, soupire-t-il tout bas, en fixant la table. Je vais encore passer la semaine là-bas. Pis après, je vais être malade.

— Mais c'est pour guérir ?

— Non. C'est juste pour éviter que le cancer revienne. Parce qu'il est très agressif.

— Alors... t'es pas vraiment obligé d'y aller ?

— Mes parents me laissent pas le choix.

Il a l'air de bouder. Je ne l'ai jamais vu comme ça. Le visage fermé. Loin à l'intérieur de lui. Trop loin. Je voudrais m'approcher, mais je ne sais pas comment.

Soudain, j'ai une idée ! Je me précipite dans l'entrée, ouvre mon sac, soulève ma grenouille, fouille entre mes cahiers et mes Duo-Tang. Les feuilles sont là ! Mon histoire ! Que j'ai recommencée mille fois la fin de semaine avant Noël. Pour lui. Je retourne m'asseoir à la table. Thomas n'a pas bougé. J'hésite. M'agrippe à mes feuilles.

— *Thomas… et la bête.*

Je plonge.

— *Le village avait été construit en bordure d'un ruisseau qui descendait de la montagne et fournissait l'eau potable à tous les habitants. Personne ne s'aventurait dans les hauteurs, car une bête horrible y avait établi sa tanière.*

Respire, Ève, respire.

— *Cet été-là, le ruisseau s'était mystérieusement transformé en un mince filet d'eau avant de s'assécher complètement. Pour survivre, il n'y avait pas trente-six solutions. Il fallait retourner à la source. Or, celle-ci se trouvait sur le territoire de la bête. Et personne n'en était jamais revenu… vivant,* dis-je en risquant un œil vers Thomas.

Sa bouche est légèrement entrouverte. Il me regarde attentivement. Je continue :

— *De tous les garçons du village, Thomas était le plus fort, le plus intelligent et le plus courageux…*

Je n'ose plus lever les yeux de ma feuille. Je poursuis ma lecture, raconte le voyage dangereux de Thomas, son combat contre la bête, les épreuves qu'il surmonte pour que l'eau coule à nouveau jusqu'au village.

— *Quand il revient, Thomas a changé. Une force tranquille se dégage de lui. Son corps porte les marques d'un guerrier. Mais le plus important, c'est qu'il a survécu.*

Ma gorge est soudain envahie de nœuds. Je ne peux plus parler. Je lève la tête. Ses yeux s'accrochent aux miens. Très longtemps.

CHAPITRE QUATORZE

– Pardon –

Lundi 25 mars

Émeline! Mon ventre a grossi! J'ai l'impression qu'il a poussé pendant la nuit, comme un champignon. Ce matin, je n'arrivais pas à attacher mon pantalon. Je me suis plantée de profil, devant le miroir. J'ai vu le petit renflement. Du coup, c'est devenu plus réel. Une vie nouvelle. En moi.

Je vais l'annoncer à tes camarades tantôt. J'ai hâte de connaître leurs réactions.

Audrey a l'air d'une fillette pressée d'ouvrir son cadeau. Sa toque s'agite sur le dessus de sa tête. Elle tient une boîte au couvercle fleuri contre sa poitrine. Ses yeux pétillent.

— Vous devez deviner ce qu'il y a à l'intérieur. Posez toutes les questions possibles, je vais répondre par oui ou non.

Yannick lève la main.

— Ouais, pis… si on arrive pas à le trouver ?

— Je n'ouvre pas la boîte !

Camille se risque la première.

— Est-ce que ça se mange ?

Audrey la regarde d'un air soupçonneux.

— Tu m'as vue le mettre à l'intérieur ?

Camille se défend en secouant la tête vigoureusement. Le jeu se poursuit. Après deux autres questions seulement, Audrey capitule et retire le couvercle. Elle se met à agiter un biberon rempli de sucettes en bonbon comme une maraca. Les sourcils autour de moi se soulèvent en accent circonflexe. Je souris. Elle m'adresse un clin d'œil et lance :

— Je vais avoir un bébé !

— T'es enceinte ? demande Anne-Sophie.

Audrey hoche la tête.

— Mais t'as déjà plein d'enfants, Audrey ! avance Simon.

Elle éclate de rire.

— Ce n'est pas pareil ! dit-elle en versant des sucettes au creux de nos mains.

Momo, lui, garde les poings fermés. Audrey termine sa tournée, revient vers lui.

— Tu n'en veux pas, Momo ?

— Non, répond-il, fâché. Tu vas t'en aller, maintenant ?

— Pourquoi tu me parles sur ce ton-là ?

Il se met à gronder :

— Tu nous donnes des bonbons et, après, tu vas nous dire que tu t'en vas. C'est ça, hein ?

— Oh… Momo… non ! Je vais rester avec vous jusqu'à la fin de l'année.

Le géant essuie ses larmes avec des gestes brusques. J'observe Audrey en train de le consoler. J'imagine les paroles douces qu'elle lui chuchote à l'oreille en laissant fondre la sucette sur ma langue.

C'est étrange. Depuis que j'ai raconté mon histoire à Thomas, on dirait qu'une barrière s'est levée. Je n'ai pas attendu l'enveloppe du vendredi pour venir le voir. Aujourd'hui, assise à côté de lui sur le sofa, je lui confie des pensées que je n'aurais jamais imaginé partager. À propos d'Émeline. De mes parents qui sont toujours occupés. D'Audrey et du cahier mauve.

— Pourquoi tu veux tellement savoir ce qu'Audrey écrit dans le cahier d'Émeline ?

Il me dévisage attentivement.

— Pfff…

Il a raison. À quoi ça me servirait ? Ça ne changerait rien. Émeline ne reviendra pas. Et puis, ça les regarde toutes les deux. J'avance une main vers l'assiette posée sur le pouf. Prends un carré de sucre à la crème que Thomas a cuisiné.

— Mmm. C'est vraiment bon.

Thomas sourit en s'appuyant contre le dossier. Il ferme les yeux.

Avant de me coucher, je flatte la tête de la grenouille d'Émeline, doucement. Je lui demande pardon. Elle me répond :

— Coa, coa.

Quand je ferme les paupières, je la vois, là-haut, entre les nuages. Elle me fait signe. Je cours jusqu'au parc et j'agrippe les cordes de la balançoire. Je recule le plus loin possible, sur le bout des orteils, et je m'élance. La balançoire monte de plus en plus haut. Quand mes pieds touchent le ciel, je saute. J'atterris sur l'herbe. Je me relève et la cherche du regard. Elle a disparu. Deux mains se plaquent alors sur mes yeux. « Devine c'est qui ! » J'écarte ses doigts et elle m'entraîne derrière elle. Je la suis, émerveillée par les couleurs autour de nous. Des arbres aux feuilles bleues et mauves, des étangs dorés, des fleurs multicolores qui se retournent sur notre passage. On joue à cache-cache, on roule sur des tapis de mousse, on sculpte des nuages en forme de grenouille et de papillon. Au moment de partir, Émeline agite des rubans roses au-dessus de sa tête, comme ceux sur son signet, pour me dire au revoir.

Je m'endors ensuite, la grenouille blottie contre moi.

CHAPITRE QUINZE

– Le ruisseau –

— Comment va le beau Thomas ?

Je sursaute. Anne-Sophie, flanquée de Camille et de Sarah, vient d'apparaître devant moi. Je ne l'ai pas vue approcher. Il faut dire qu'on est tous entassés sur la partie asphaltée de la cour, le seul endroit autorisé à la récréation en ce moment. À cause du dégel, le terrain de soccer est couvert de boue et d'immenses flaques d'eau entourent les modules de jeu.

— Paraît que tu vas souvent le voir…

Je n'aime pas le ton qu'elle prend ni le sourire par en dessous qu'elle échange avec Camille.

— Oui, je lui apporte ses travaux. Il va bien. C'est sa dernière semaine de chimio.

J'ajoute, même si ce n'est pas vrai :

— Je l'aide à se préparer pour les examens de fin d'année.

— Ah… C'est sûr qu'avec une bolée comme toi, il va être bien préparé…

Un petit rire moqueur. J'en ai assez. Je redresse la tête.

— Qu'est-ce que tu veux savoir, au juste ? Est-ce que t'es jalouse, Anne-Sophie Bérubé ?

Elle se met aussitôt à balbutier.

— Ben non…

Elle tourne les talons brusquement, suivie par ses amies moustiques. Je viens de chasser madame-la-reine-des-abeilles en personne. Moi ! Il faut absolument que je raconte ça à Chloé.

— Hé ! Chloé ! Attends-moi !

Samedi 20 avril

Ma belle Émeline,

Dans quelques jours, cela fera cinq mois que tu es morte. C'est si vite passé, cinq mois, dans une vie. Pourtant, cette période semble avoir duré une petite éternité. Tellement chargée en émotions. Si intense.

Ce que je cherche à te dire, c'est que je ne peux plus continuer à t'écrire ainsi. Comme si tu étais encore vivante. Porter la vie et t'écrire, ce n'est plus possible. Je n'y arrive pas. Ce sont deux vagues contraires. Qui se fracassent l'une contre l'autre. L'une d'elles doit se retirer. Sinon, c'est moi qui vais m'effriter.

Dis-moi, Émeline, que tu comprends. Dis-le-moi, mon cœur. Je ne t'abandonne pas. Je ne t'oublie pas non plus. Jamais. Je dois juste te laisser partir. Faire place à la vie qui bourgeonne en moi.

Le père de Thomas a sorti deux gros fauteuils Adirondack sur le balcon. C'est là que nous sommes installés, comme si on avait soixante-dix ans et rien d'autre à faire que regarder pousser les tulipes.

— Tu y penses, des fois, à ce que tu veux faire plus tard ?

Les mots ont à peine franchi mes lèvres que j'aimerais les rattraper. Même si on n'en parle jamais, je sais que le cancer peut revenir. Que l'avenir, pour Thomas, c'est un château de cartes.

— Je sais pas. Toi ?

— Moi ?

— Non, le singe derrière toi.

Je me retourne. Thomas éclate de rire. Je penche la tête de côté, fais semblant d'être fâchée. Je lui réponds :

— Je sais pas non plus.

C'est faux. J'ai une foule de projets d'avenir. Cultiver un jardin de plantes très rares. Découvrir d'autres pays. Inventer des histoires. Les illustrer aussi. Thomas m'examine d'un air amusé.

— Tu te poses toujours autant de questions ?

— Heu… pas toi ?

— Non…

Un silence. Puis soudain, sortie de nulle part, une question :

— Il existe, ton ruisseau ?

— Mon ruisseau ?

— Le ruisseau dans l'histoire que tu m'as racontée…

Son front est plissé et ses yeux me fixent avec intensité. Je devine, sans pouvoir l'expliquer, que c'est important.

— Oui.

Son visage se détend aussitôt. Je précise, pour qu'il ne se fasse pas d'illusions :

— Il est pas tout à fait comme dans l'histoire.

— Il est comment ?

— Tu sais où se trouve le terrain vague, dans le nouveau quartier ?

— Oui.

— Il faut se rendre au bout, à la lisière de la forêt. Là, t'empruntes le sentier des VTT jusqu'aux pylônes électriques. Après, tu prends à droite et tu longes la crête. Quand t'arrives près d'une très grosse roche, tu descends. Tu vas le trouver.

Il hoche la tête, comme s'il le voyait. Demande :

— Tu vas m'emmener ?

Je reste muette quelques secondes.

— OK.

Je quitte Thomas très vite. Je dois aller retrouver mon ruisseau. Je ne sais même pas comment il a passé l'hiver. Pourquoi je n'y ai pas pensé plus tôt ?

J'entre dans la maison en coup de vent, change de vêtements et ramasse ma vieille paire de bottes en caoutchouc.

— Où tu t'en vas, comme ça, Ève ? Le souper va être prêt bientôt !

— Attends-moi pas, maman ! Je vais manger plus tard !

— Ève !

Je suis déjà dehors.

La forêt est tranquille. Encore endormie. J'essaie de courir, mais le sol est trempé. Mes bottes s'enfoncent dans la boue du sentier. Les silhouettes des branches se découpent en ombres noires contre le ciel. Le soleil, à cette heure, est aveuglant. Je dois me dépêcher. Après les pylônes, je pique à travers le boisé d'épinettes sur la crête. J'approche. Les arbres paraissent plus nombreux qu'avant. Est-ce bien par ici ? Où est la grosse roche ? Le tronc fendu ?

Je m'arrête, découragée. Le soleil est bas. Je dois faire demi-tour. Il aurait fallu marquer mon chemin, à l'automne. Avec des rubans orange, comme le font les chasseurs. Soudain, je perçois un murmure. Le vent ? Non. Les feuilles sortent à peine de leurs bourgeons. C'est un bruit régulier. J'avance en écartant les branches fines. Elles se referment souplement derrière moi. Le bruit devient de plus en plus fort. Une sorte de grondement. Ça ne peut pas être mon ruisseau. Je galope, j'espère quand même. Les branches me griffent les bras. Je débouche sur une roche en saillie. En bas, l'eau coule avec force, creuse les parois du sol. Des racines sont à découvert. Je descends prudemment. Reconnais la grosse roche, plus haut, sur la droite. Je grimpe sur une souche, aperçois mon ruisseau.

Ce n'est pas possible ! Tous mes efforts n'ont servi à rien ! Absolument à rien ! Mon ruisseau est sorti de son lit, l'eau se déverse sans ralentir sa course, se faufile partout entre les roches. À quoi ça sert de se démener ? Est-ce qu'on est juste des marionnettes qui s'agitent en espérant changer le cours des choses sans jamais y parvenir ?

CHAPITRE SEIZE

– Vivante –

Nous sommes à nouveau vingt-cinq dans la classe. Mes yeux quittent ma feuille d'examen et se posent sur la nuque de Thomas, dans la rangée voisine, à l'avant. Il est en train d'écrire. Son coude brun dépasse du pupitre que le concierge a apporté, tantôt. De là où je suis assise, je distingue sa longue cicatrice qui remonte sur sa tête. Sa marque de guerrier.

Tout le monde est concentré. On n'entend que le bruit de la ventilation au plafond et, de temps en temps, une feuille qu'on retourne, un crayon qui roule sur le plancher. J'ai l'impression de sortir d'un rêve et d'être encore endormie. Mon regard se promène dans la classe. Je m'étonne de retrouver chaque chose à sa place. Comme s'il ne manquait rien.

Maxime et Camille ont déjà remis leur examen. Je dois m'y mettre ! Thomas repousse sa chaise.

Il marche jusqu'au bureau d'Audrey. Elle survole sa copie. Lui sourit. Il se dirige vers la porte d'un pas tranquille. Sûr de lui. Trop beau. Il se retourne. Me fait un petit salut de la tête avant d'aller rejoindre sa mère au secrétariat. J'ai envie de me lever et de courir le retrouver. *Allez, Ève!* Je me penche sur mon examen.

Nous sortons en file indienne par la porte du service de garde. Silencieux. Sous le portique, la maman d'Émeline nous attend, le sourire tremblant, avec un gigantesque bouquet de ballons blancs. On s'agglutine autour d'elle. Sans se bousculer. Elle remet à chacun un ballon.

— Tiens, pour toi, Ève.

À travers les verres de ses lunettes, ses yeux plongent dans les miens. Je réussis à lui sourire en prenant un ballon.

Dehors, le ciel est parfaitement bleu. L'arbre pour Émeline est déjà planté. Un petit amélanchier, couvert de minuscules fleurs blanches. Sa photo scolaire, dans un cadre en argent, est appuyée sur le tronc frêle, au sol. Émeline regarde au loin. Le sourire éclatant. Ce matin, j'ai déposé la tortue que j'ai fabriquée l'été dernier, avec une pierre de mon ruisseau, dans la boîte qu'on va enterrer au pied de l'amélanchier. Ma préférée. Aussi flamboyante qu'Émeline.

Josiane, la directrice, nous place en demi-cercle. Je serre très fort le ruban de mon ballon. Thomas est à l'autre bout, avec Éliott et Raphaël, ses meilleurs amis. À quoi il pense? Qu'on plantera peut-être un arbre pour lui aussi? Non!

La grand-maman d'Émeline se tient devant l'amélanchier, les yeux fixés sur sa feuille. Elle lit. Je n'entends pas les mots. Sa voix bute comme sur des cailloux. Je regarde Audrey. Son petit ventre rond sous sa robe moulante qu'elle protège de ses mains. Devant moi, des épaules tressautent. Ça renifle. Thomas se tient droit. Je m'agrippe au ruban blanc.

Soudain, la maman d'Émeline donne le signal. Les ballons s'envolent. Je resserre les doigts autour du ruban. Des larmes ruissellent sur mes joues. Les paroles d'Éli et Papillon montent en moi: «*Je laisserai derrière les sillons de remords. Je suis partie pour mieux revenir, pour tenter ma chance, entrer dans la danse.* » J'ouvre les doigts. Mon ballon s'élève, rejoint les autres. Une grappe toute blanche grimpe dans le bleu du ciel.

Je vois Émeline, là-haut, qui essaie de les attraper. Elle cabriole, bondit de l'un à l'autre, cueille les ballons au creux de ses bras, rit aux éclats. Je l'entends. Je ne sais pas si c'est là-haut ou à l'intérieur de moi, mais je sais qu'elle existe encore. Notre histoire continue.

Mercredi 22 mai

Oh ! Émeline ! Tu es venue me voir cette nuit. Tu crois que c'est possible ? Tu crois que les morts peuvent emprunter le chemin des rêves pour visiter les vivants ?

J'étais venue à la mer. Seule. J'avais grimpé un vieil escalier pour rejoindre ma chambre, au premier étage.

Au matin, des cris m'ont réveillée. Je me suis précipitée sur le balcon. Des dizaines de petits voiliers faisaient la course sur un bras de mer. Tous remplis d'enfants excités. Et je t'ai aperçue. Sur l'un d'eux. J'ai crié ton nom. Tellement heureuse de te retrouver ici. Nous étions au même endroit, au même moment ! Tu te rends compte ?

Tu m'as saluée de la main, nullement surprise de me voir là, sans ralentir ton allure ni dévier de ta route. J'ai à nouveau crié ton nom. Tu t'es retournée et tu m'as adressé un sourire lumineux. Puis, tu as disparu sur la ligne d'horizon.

Merci, mon ange, d'être venue me dire au revoir.

Je pousse lentement la porte de la cour arrière chez Thomas. Nerveuse. J'entends de la musique, des rires. Je sais qu'il y aura beaucoup de monde. Ses tantes, son oncle, ses cousins que j'ai vus en photos. Des amis. Quel cadeau offrir pour fêter la fin de ses traitements ? Je n'ai pas trouvé. Je replace le ruban de ma robe jaune à la taille. Avance.

Son père a sorti plusieurs chaises. Les gens sont assis en cercle sur la terrasse. Des enfants sautent sur le trampoline. Je repère Thomas, sur le divan extérieur, avec Éliott et Raphaël, dans la classe de Mme Brochette. Je m'approche.

— T'es allé en moto avec Thomas ?

Une femme, qui ressemble trop à la mère de Thomas, questionne son père. Ce dernier m'aperçoit, fait signe à Thomas qui tourne la tête dans ma direction. Il se lève aussitôt. Un sourire éclaire son visage.

— Ève !

Thomas me prend la main. Comme ça ! Devant tout le monde. Il tient ma main au creux de la sienne, me tire vers lui. Mon cœur flotte au sommet d'une vague. Thomas se rassoit et se pousse contre l'accoudoir pour me faire une place. Nous sommes serrés l'un contre l'autre, sa cuisse nue appuyée contre la mienne. Son père raconte leur sortie en moto, avant la fin des traitements.

— Rendus au chemin Saint-Mathieu, on a pris l'autoroute…

— Vous n'étiez pas censés rester sur des petites routes de campagne ?

Sa mère vient d'arriver avec deux verres à la main. Thomas ajoute en riant :

— On a roulé à cent milles à l'heure ! Pis je pense qu'à un moment je me suis même endormi.

— Henrik !

Sa mère dépose les verres si brusquement sur la table que les glaçons s'entrechoquent. Thomas et son père rigolent. Je les imagine bien tous les deux. Son père, au volant de sa moto, défiant la mort sur l'autoroute. Thomas, les bras autour de la taille d'Henrik, le visage offert au vent, le sourire éblouissant.

— Vous venez jouer à la tague, les amoureux ?

Raphaël et Éliott sont debout. Ils se donnent des coups de coude et se trouvent très drôles. Thomas se lève et me tend la main.

— Je peux être la tague ? que je lui demande.

— Si tu veux.

Je me redresse tranquillement, sans le quitter des yeux.

— Tu sais que je te laisserai pas de chance, cette fois-ci…

— Je sais…

Il se sauve en riant vers l'avant de la maison. Je saute sur mes pieds et m'élance à sa poursuite. Je cours pour le rattraper. Je cours à perdre haleine, pour le plaisir de courir, sans me poser de questions. À l'intérieur de moi, je sens la vie qui bouillonne. Comme un courant. Un ruisseau.

J'étire le bras pour lui toucher. Il réussit à s'esquiver.

— Youhou ! Ève ! On joue nous aussi !

Je repars en sens inverse vers Éliott. Crie en direction de Thomas :

— Tu perds rien pour attendre !

Je continue à courir. Et soudain, je réalise que les pierres que j'ai soulevées, la boue que j'ai transportée, le chemin que j'ai dégagé jour après jour en venant voir Thomas, je ne l'ai pas fait pour rien. Le ruisseau coule en moi. Je cours, j'ai des ailes, je ne me suis jamais sentie aussi vivante.

Remerciements

Je tiens d'abord à remercier Isabelle Gougeon, qui a courageusement accepté de me parler de la mort tragique de sa fille Mély-Ann, à l'âge de neuf ans. Également Thomas Bazin, qui m'a partagé son expérience de la maladie de façon si inspirante et généreuse, ainsi que ses parents, Hendrix Bazin et Marie-Josée Chicoine.

Je remercie Audrey Martin et Caroline Marin, enseignantes, ainsi que Michelle Racicot, directrice, pour avoir pris le temps de répondre à mes questions concernant les interventions éducatives et les réactions des enfants face à la mort subite et à la maladie grave d'un élève. Je remercie aussi Mélisa Goyette et ses élèves de 4e année 2017-2018 pour les échanges stimulants à la suite de la lecture feuilleton d'une version de ce roman.

Un merci particulier à Charlotte Gingras pour m'avoir rassurée et remise sur les rails pendant la réécriture de ce roman. Cette nouvelle version lui doit beaucoup. Merci à Julie-Ann Gwilliam, ma complice de toujours, pour sa lecture critique et ses encouragements ; à May Sansregret pour ses commentaires d'une grande finesse ; et à Stéphanie Durand, mon éditrice, pour sa confiance, sa disponibilité et ses conseils judicieux.

Enfin, je remercie mes fidèles amies, Johanne Janson et Nicole Deslandes, pour avoir veillé sur moi de façon aussi originale et bienveillante pendant la réécriture ; mon amoureux, Sylvain, pour son soutien indispensable lorsque l'écriture m'accapare entièrement ; et ma fille, Marie, dont l'intérêt et la curiosité pour les écrits de sa maman ravit mon cœur.

Table des matières

GENEVIÈVE PICHÉ

Geneviève Piché enseigne depuis plus de vingt ans au primaire et anime des ateliers d'écriture et de lecture dans les écoles et les bibliothèques. Après *Seule contre moi*, un roman adolescent criant de vérité, elle aborde de nouveau avec doigté un sujet délicat, la mort et le deuil chez les enfants, dans un roman destiné à un public plus jeune. Elle est l'auteure de trois romans pour lesquels elle a été finaliste au prix Cécile-Gagnon en 2004 et au Prix jeunesse des libraires en 2014.